CONTEMPORÁNEA

Pablo Neruda, seudónimo de Neftalí Ricardo Reyes, nació en Parral, Linares (Chile), en 1904. De 1920 a 1927 residió en Santiago, y en esta época escribió sus primeros poemas: *La canción de la fiesta* (1921), *Crepusculario* (1923) y *Veinte poemas de amor y una canción desesperada* (1924), títulos que muestran las primeras fases de su evolución, desde sus inicios posrubenianos hasta la adquisición de un tono más personal y libre de la expresión poética. En 1927 empezó su existencia viajera y ocupó varios cargos consulares en China, Ceilán y Birmania. *Residencia en la tierra* (1933) le reveló como un poeta de intensa originalidad, vinculado indirectamente con la corriente surrealista. Entre 1934 y 1938 ocupó el cargo de cónsul de Chile en España, y en estos años entró en contacto con escritores españoles de la Generación del 27. En 1941 se instaló en México y, posteriormente, regresó a su patria donde, en 1945, fue nombrado senador. En 1971 le fue concedido el Premio Nobel de Literatura y fue nombrado por Salvador Allende embajador en París. Murió en 1973, poco después del golpe de Estado de Augusto Pinochet. Póstumamente, en 1974, se publicaron sus memorias bajo el título *Confieso que he vivido*. DeBolsillo presenta ahora una edición de su obra.

Biblioteca

Pablo Neruda

Estravagario

DeBOLSILLO

Diseño de la portada: Departamento de diseño de Random
    House Mondadori
Fotografía de la portada: © Hans Neleman/Stone

Primera edición: octubre, 2003

© 1999, Herederos de Pablo Neruda y Fundación Pablo
    Neruda
© 1999, Hernán Loyola, por las notas
© 2003, Federico Schopf, por el prólogo
© 1999, Círculo de Lectores, S. A. (Sociedad Unipersonal) y
    Galaxia Gutenberg, S. A.
© 2003 de la presente edición:
    Random House Mondadori, S. A.
    Travessera de Gràcia, 47-49. 08021 Barcelona

Printed in Spain – Impreso en España

ISBN: 84-9759-904-7 (vol. 367/11)
Depósito legal: B. 35.625 - 2003

Fotocomposición: Comptex & Ass., S. L.

Impreso en Litografía Rosés, S. A.
Progrés, 54-60. Gavà (Barcelona)

P 899047

PRÓLOGO

Federico Schopf

Estravagario es un libro aparte en la obra de Neruda que, en la fecha de su aparición, en 1958, sorprendió a la crítica y seguramente a la mayoría de los lectores que seguían al poeta, desconcertándolos con el notorio y, en cierta medida, brusco cambio que expresaban sus poemas. Desde luego, se distanciaban claramente del temple combativo, del estilo heroico, grave, de *Canto general*, publicado en 1950, en plena guerra fría, en que el poeta se hacía cronista y testigo de las luchas de liberación en Latinoamérica, *portavoz* de las injusticias en el pasado y el presente, seguro de la verdad de su doctrina –que esclarecía el desarrollo de la historia y orientaba la acción política–, doblemente legitimado por ella y por su origen en el pueblo.

Pero también los poemas de *Estravagario* se distanciaban –aunque con menos espectacularidad– de la serie de libros de odas que Neruda había publicado inmediatamente antes y, lo que es más perturbador, incluso un año después, dejándolo incómodamente instalado como una isla en medio de una fuerte y continua corriente, que volvía a reunir sus aguas para seguir en la misma dirección, una vez sobrepasado el escollo.

Las odas tienen en común con los poemas de este libro cierta apariencia de liviandad, de facilidad escritural, cierta disposición lúdica en el poeta, la intervención del humor, más bien blanco que negro, e incluso la ironía en el tratamiento de algunos problemas –en la imposible pretensión del poeta de hacerse invisible, de apartar su vida personal, como lo expresa en la primera de sus odas o en el reconocimiento de su falta de heroísmo continuo en «Muchos somos» de *Estravagario*–, la elección de objetos y aspectos de la vida cotidiana y no ya de los grandes acontecimientos políticos, la celebración de la vida material. Pero separa a ambos conjuntos –incluso abruptamente, cuando estas diferencias se advierten– la interrup-

ción del optimismo con respecto al presente y de la seguridad
en el adveniminento relativamente próximo de una sociedad
más justa para todos. Además, lo que es más decisivo aún, la
sustitución de la identidad supuestamente plena como ser social en que se afirma el poeta ódico –y, en general, el sujeto nerudiano desde *Canto general*– por el reconocimiento de una
identidad fragmentarizada en el pasado y en el presente.

Habría, eso sí, que advertir que el desarrollo de la obra de
Neruda no es lineal: el reconocimiento del poeta –por lo menos desde *Estravagario* en adelante– de la fragmentarización
del sujeto y sus dudas sobre la (i)legalidad de la historia hacen que su escritura avance, o retroceda o se retrotraiga dis-
parejamente a lo largo del amplio frente que despliega su obra,
con más o menos penetración en diversos lugares y tiempos y
diversos efectos en sus lectores.

En este amplio frente –al que sólo una ilusión óptica hace
aparecer plano, en línea– *Estravagario* tiene, a primera vista,
el aspecto de un libro festivo, ligero, ingenioso, despreocupa-
do, una especie de *divertimento* otoñal, al margen de las grandes corrientes nerudianas y así lo comprendió, por lo demás,
gran parte de la crítica periodística del momento.

Sin embargo, poemas como «Regreso a una ciudad», «No
tan alto», «Muchos somos», «Aquí vivimos», «Por boca cerrada entran las moscas» y otros delatan que el conjunto no
continúa en la dirección señalada por las odas que, entretanto, debido a su proliferación, comenzaban a desgastar su fór-
mula, a sentirse como una repetición programática que debi-
litaba su eficacia comunicativa.

En el momento de su aparición, algunos críticos de la pren-
sa chilena no dejaron de señalar la probable influencia de la
antipoesía de Nicanor Parra en la escritura de *Estravagario*.
Pero –aunque Mario Rodríguez Fernández tiene razón en
aclarar que nadie habla como escribe Parra– habría que ob-
servar que el *montaje* que hace el antipoeta de trozos de oralidad o de escritos de la más diversa especie, a veces interve-
nidos, a veces en estado crudo, poco tiene que ver con la
elaboración a que Neruda somete la oralidad para integrarla
a su singular estilo. El uso de la lengua popular o cotidiana en

la poesía de Neruda es anterior a los procedimientos de la antipoesía, no introduce su novedad.

Estravagario es, por cierto, una palabra inventada por el poeta, probablemente desde la combinación de extra (aparte, fuera de, especial) y un derivado de vagar, divagar, vago, en que convergen los significados de desocupado, ocioso, errante, inconstante, pero también ambiguo, indeterminado y –como en *Crepusculario*– la vaga idea de conjunto o colección. Tampoco parece ajena a la intención del poeta que la palabra connote lo extravagante, estrafalario, lo que no necesariamente puede tomarse en serio.

El entusiasmo y la voluntad política de Neruda había llegado muy lejos en su exaltación de los logros del socialismo en la Unión Soviética; así, en términos casi caricaturescos, había cantado incluso la existencia de una relación armónica entre la industrialización soviética y la naturaleza en un poema de *Las uvas y el viento* (1954), que hace recordar la «Oda a Salinas» de fray Luis de León, en que el poeta renacentista elogia la música del compositor ciego porque emula la música de la armonía celestial, la música divina que no se escucha por ser continua. También en *Las uvas y el viento* y antes en *Canto general* (1950) había elogiado tan exageradamente la figura de Stalin como conductor del socialismo e ingeniero de las almas como para que tuviera que preocuparse, desde el punto de vista moral e ideológico, después de las revelaciones de su política criminal en el sonado XX Congreso del Partido Comunista de la Unión Soviética en febrero de 1956, que tantas esperanzas abrió en el mundo de una democratización de Rusia. Sin duda, otro duro golpe para el poeta fue que, muy poco después, la misma directiva encabezada por Kruschev, que había prometido el deshielo, esto es, procedimientos más democráticos y respeto por la autodeterminación de los pueblos, no tuvo escrúpulos en aplastar la revolución húngara.

En cierta medida, podría decirse que el voluntarismo político –expresado en los niveles más explícitos de sus poemas de las décadas de los cuarenta y los cincuenta– habría conducido al poeta a formulaciones artificiales sobre leyes objetivas de la historia de cumplimiento inexorable o a una reducción de los individuos a su puro contenido de clase, pura ideología que ya no descansaba en los hallazgos que antes, y en ese mismo período, había hecho el mismo poeta en sus arduas indagaciones sobre el tiempo y la historia, expuestas, por ejemplo, en largos fragmentos de «Alturas de Macchu Picchu» (no en el total del poema, en que se superpone una capa ideológica recubriente, totalizadora) o en poemas anteriores como «El fantasma del buque de carga» de *Residencia en la tierra*.

La imagen de la existencia o, si se quiere, la experiencia del ser o el no ser comunicada por la poesía de Neruda –y que es el resultado de la indagación poética que recorre su obra– es otra que la visión ideologizada del mundo que el poeta asume en el período que se inicia en la guerra civil española (1936) y comienza a ser revisada críticamente a partir de *Estravagario*. Por ello, no es posible interpretar este desarrollo como un paso desde la afirmación de una ideología al escepticismo o a cierto relativismo. Por otra parte, la falsedad del aparato ideológico no conduce al poeta al abandono de su posición política, sostenida en su materialismo profundo y comprensión solidaria del ser humano.

Inscritos en la lógica de la guerra fría –aunque ya en los años de distensión o «coexistencia pacífica», repletos de logros tecnológicos y de guerras regionales por ambos lados–, los poemas de *Estravagario* parecen haberse elaborado al menos desde una doble motivación: por una parte, desde la enorme responsabilidad moral sentida por el poeta ante los resultados del socialismo real, que, como sabemos, él había apoyado con sus poemas que proclamaban el ser social y las supuestas leyes objetivas de la historia, que legitimaban esa política de Estado. Esta sensación de culpabilidad estaría reflejada, por ejemplo –como observaba Alain Sicard– en poemas como «No me pregunten».

Por otra parte, estarían escritos desde la necesaria cautela de un poeta políticamente comprometido que quiere precaverse de cualquier utilización de su palabra por el enemigo. Por ello, diseña en los comienzos una estrategia indirecta en que la astucia de las alusiones y elusiones juega un papel importante.

Quizá habría que agregar todavía que los poemas están marcados por una ambigüedad que –al margen de sus otras significaciones– puede leerse como indicio de un profundo desconcierto en el poeta que enfrenta y rehúye al mismo tiempo los problemas privados y públicos que emergen y hacen dolorosa su revisión crítica del pasado y del presente. Así, la astucia escritural –la ficción de no darle aparentemente importancia central a estos problemas, de tratarlos de pasada, improvisando sobre la marcha– no sólo obedecería a la cautela, sino que sería también expresión de ese grave desconcierto, de la inmovilidad incluso en que habría estado sumido el poeta frente al curso no totalmente programable o apenas de la historia y sus propias convicciones.

La perspectiva desde la que el poeta enfoca su propia vida y los bloques de historia que le tocó vivir –su yo y sus circunstancias– es inequívocamente otoñal. En su cercanía está su amada, Matilde, el entorno natural en que se siente (re)integrado, algunas ciudades, pero también las enfermedades que lo acechan, frente a las cuales reacciona con temor y humor, además de algún temblor. En todo caso, el poeta hace evidente que se encuentra en un momento particularmente feliz de su vida privada (en contraste con los signos y hechos inquietantes del rumbo que iba tomando la historia). Hay poemas total o parcialmente dedicados a la amada y el libro se abre y se cierra con poemas que hacen referencia a la plenitud que ella le entrega, no sin dejar de subrayar el carácter terrenal de este amor y, por tanto, sometido a duro término con la muerte, que el poeta quisiera entender más bien como incitación para hacer más intensa y continua la relación. Sin embargo, el buen humor le permite un juego en que –junto con entrelazar sus versos con los versos ausentes de Quevedo y John Donne, para decir lo contrario de éstos– no deja de destacar ingeniosamente las interferencias de su propio amor:

> *Alguna vez si ya no somos,*
> *si ya no vamos ni venimos*
> *bajo siete capas de polvo*
> *y los pies secos de la muerte,*

> *estaremos juntos, amor,*
> *extrañamente confundidos.*
> *Nuestras espinas diferentes,*
> *nuestros ojos maleducados,*
> *nuestros pies que no se encontraban*
> *y nuestros besos indelebles,*
> *todo estará por fin reunido,*
> *pero de qué nos servirá*
> *la unidad en un cementerio?*
> *Que no nos separe la vida*
> *y se vaya al diablo la muerte!*

En la mirada retrospectiva que el poeta deja (di)vagar por su pasado y su presente –entregado al azar o a las motivaciones de momentos discontinuos– se mezcla la nostalgia por lo perdido, no sólo lo que fue vivido, sino también lo que no se pudo vivir y ha marcado su existencia, que ha dejado también sus huellas, su memoria o su olvido, se mezcla, repito, con la revisión crítica y autocrítica de estos fragmentos de vida pasada, en los que no reconoce siempre el mismo sujeto o su continuidad. Por ello, en «Regreso a una ciudad» llega a decir:

> *Ahora me doy cuenta de que he sido*
> *no sólo un hombre sino varios.*

La fragmentarización tiene lugar también en el presente:

> *De tantos hombres que soy, que somos,*
> *no puedo encontrar a ninguno:*

Sin embargo –punto de apoyo que se mantiene en la poesía venidera de Neruda–, retiene al menos la unidad formal que le permite reconocer esta pluralidad o dispersión, que no puede ser unificada por la pura voluntad, que resiste todo intento de enlazarla totalmente en una continuidad y, por tanto, también la superación en una identidad social continua (incluso más allá del individuo, pero comprendiéndolo). Tal vez habría que entender este yo como un centro movible (o sea, un no centro) o un punto de referencia inseguramente reconocido como el propio yo, pero inestable.

Desde esta subjetividad fragmentarizada –que ha sustituido al anterior «Yo soy» de *Canto general*, que había construido una biografía continua y conducida por contradicciones que iban resolviéndose en su superación hasta el advenimiento del poeta representativo que despliega los acontecimientos y su legalidad, aunque no sólo– el conocimiento de sí mismo y de la exterioridad histórica o social ha perdido su carácter de certidumbre, de esclarecimiento absoluto:

> *Toda claridad es oscura*
> *y no todo es tierra y adobe*
> *hay en mi herencia sombra y sueños.*

No obstante –lo que es decisivo en esta renovada disposición indagatoria–, la muerte ha instalado una medida, la temporalidad. La probable verdad a que se accede –el correlato de los hallazgos de la escritura poética– está instalada en el tiempo, no es eterna, no es totalizadora y no se inmoviliza en su legalidad, no se transforma en idea (pre)existente fuera del tiempo.

Con elegante ironía –en los cinco últimos versos de la última estrofa de un poema no logrado en su conjunto– el poeta alude a los límites de la vida, que es el ámbito en que se sostiene y se materializa la verdad:

> *Es tan poco lo que sabemos*
> *y tanto lo que presumimos*
> *y tan lentamente aprendemos,*
> *que preguntamos, y morimos.*
> *Mejor guardemos orgullo*
> *para la ciudad de los muertos*
> *en el día de los difuntos*
> *y allí cuando el viento recorra*
> *los huecos de tu calavera*
> *te revelará tanto enigma,*
> *susurrándote la verdad*
> *donde estuvieron tus orejas.*

Quizá el descubrimiento y necesidad de una soledad adveni-
da –no impuesta por la ausencia, la alienación o la indiferen-
cia de los demás, sino por la libre elección después del reconocimiento de la sociabilidad o contacto con los otros que
pertenece a la condición del ser humano– sea una de las mues-
tras más relevantes de que la escritura de Neruda –aun en este
libro tan aparentemente ligero, arbitrario, evasivo, a veces
mediocre o sólo retórico– nunca ha perdido del todo su nexo
con las vetas de indagación profunda que le han dado origen y
permiten reconocerla como poesía:

> *Gracias doy a la tierra*
> *por haberme*
> *esperado*
> *a la hora en que el cielo y el océano*
> *se unen como dos labios,*
> *porque no es poco, no es así? haber vivido*
> *en una soledad y haber llegado a otra,*
> *sentirse multitud y revivirse solo.*

Estravagario

[1957-1958]

               tan
             si
           ce
         ne
       se
     cielo
   al
 subir
Para

dos alas,
un violín,
y cuántas cosas
sin numerar, sin que se hayan nombrado,
certificados de ojo largo y lento,
inscripción en las uñas del almendro,
títulos de la hierba en la mañana.

Pido silencio

Ahora me dejen tranquilo.
Ahora se acostumbren sin mí.

Yo voy a cerrar los ojos.

Y sólo quiero cinco cosas,
cinco raíces preferidas.

Una es el amor sin fin.

Lo segundo es ver el otoño.
No puedo ser sin que las hojas
vuelen y vuelvan a la tierra.

Lo tercero es el grave invierno,
la lluvia que amé, la caricia
del fuego en el frío silvestre.

En cuarto lugar el verano
redondo como una sandía.

La quinta cosa son tus ojos,
Matilde mía, bienamada,
no quiero dormir sin tus ojos,
no quiero ser sin que me mires:

yo cambio la primavera
por que tú me sigas mirando.

Amigos, eso es cuanto quiero.
Es casi nada y casi todo.

Ahora si quieren se vayan.

He vivido tanto que un día
tendrán que olvidarme por fuerza,
borrándome de la pizarra:
mi corazón fue interminable.

Pero porque pido silencio
no crean que voy a morirme:
me pasa todo lo contrario:
sucede que voy a vivirme.

Sucede que soy y que sigo.

No será, pues, sino que adentro
de mí crecerán cereales,
primero los granos que rompen
la tierra para ver la luz,
pero la madre tierra es oscura:
y dentro de mí soy oscuro:
soy como un pozo en cuyas aguas
la noche deja sus estrellas
y sigue sola por el campo.

Se trata de que tanto he vivido
que quiero vivir otro tanto.

Nunca me sentí tan sonoro,
nunca he tenido tantos besos.

Ahora, como siempre, es temprano.
Vuela la luz con sus abejas.

Déjenme solo con el día.
Pido permiso para nacer.

Y cuánto vive

Cuánto vive el hombre, por fin?

Vive mil días o uno solo?

Una semana o varios siglos?

Por cuánto tiempo muere el hombre?

Qué quiere decir «Para siempre»?

Preocupado por este asunto
me dediqué a aclarar las cosas.

Busqué a los sabios sacerdotes,
los esperé después del rito,
los aceché cuando salían
a visitar a Dios y al diablo.

Se aburrieron con mis preguntas.
Ellos tampoco sabían mucho,
eran sólo administradores.

Los médicos me recibieron,
entre una consulta y otra,
con un bisturí en cada mano,
saturados de aureomicina,
más ocupados cada día.
Según supe por lo que hablaban
el problema era como sigue:
nunca murió tanto microbio,

toneladas de ellos caían,
pero los pocos que quedaron
se manifestaban perversos.

Me dejaron tan asustado
que busqué a los enterradores.
Me fui a los ríos donde queman
grandes cadáveres pintados,
pequeños muertos huesudos,
emperadores recubiertos
por escamas aterradoras,
mujeres aplastadas de pronto
por una ráfaga de cólera.
Eran riberas de difuntos
y especialistas cenicientos.

Cuando llegó mi oportunidad
les largué unas cuantas preguntas,
ellos me ofrecieron quemarme:
era todo lo que sabían.

En mi país los enterradores
me contestaron, entre copas:
— «Búscate una moza robusta,
y déjate de tonterías».

Nunca vi gentes tan alegres.

Cantaban levantando el vino
por la salud y por la muerte.
Eran grandes fornicadores.

Regresé a mi casa más viejo
después de recorrer el mundo.

No le pregunto a nadie nada.

Pero sé cada día menos.

Ya se fue la ciudad

Cómo marcha el reloj sin darse prisa
con tal seguridad que se come los años:
los días son pequeñas y pasajeras uvas,
los meses se destiñen descolgados del tiempo.
Se va, se va el minuto hacia atrás, disparado
por la más inmutable artillería
y de pronto nos queda sólo un año para irnos,
un mes, un día, y llega la muerte al calendario.

Nadie pudo parar el agua que huye,
no se detuvo con amor mi pensamiento,
siguió, siguió corriendo entre el sol y los seres,
y nos mató su estrofa pasajera.

Hasta que al fin caemos en el tiempo, tendidos,
y nos lleva, y ya nos fuimos, muertos,
arrastrados sin ser, hasta no ser ni sombra,
ni polvo, ni palabra, y allí se queda todo
y en la ciudad en donde no viviremos más
se quedaron vacíos los trajes y el orgullo.

A callarse

Ahora contaremos doce
y nos quedamos todos quietos.

Por una vez sobre la tierra
no hablemos en ningún idioma,
por un segundo detengámonos,
no movamos tanto los brazos.

Sería un minuto fragante,
sin prisa, sin locomotoras,
todos estaríamos juntos
en una inquietud instantánea.

Los pescadores del mar frío
no harían daño a las ballenas
y el trabajador de la sal
miraría sus manos rotas.

Los que preparan guerras verdes,
guerras de gas, guerras de fuego,
victorias sin sobrevivientes,
se pondrían un traje puro
y andarían con sus hermanos
por la sombra, sin hacer nada.

No se confunda lo que quiero
con la inacción definitiva:
la vida es sólo lo que se hace,
no quiero nada con la muerte.

Si no pudimos ser unánimes
moviendo tanto nuestras vidas,
tal vez no hacer nada una vez,
tal vez un gran silencio pueda
interrumpir esta tristeza,
este no entendernos jamás
y amenazarnos con la muerte,
tal vez la tierra nos enseñe
cuando todo parece muerto
y luego todo estaba vivo.

Ahora contaré hasta doce
y tú te callas y me voy.

Regreso a una ciudad

A qué he venido? les pregunto.

Quién soy en esta ciudad muerta?

No encuentro la calle ni el techo
de la loca que me quería.

Los cuervos, no hay duda, en las ramas,
el monzón verde y furibundo,
el escupitajo escarlata
en las calles desmoronadas,
el aire espeso, pero dónde,
pero dónde estuve, quién fui?
No entiendo sino las cenizas.

El vendedor de betel mira
sin reconocer mis zapatos,
mi rostro recién resurrecto.
Tal vez su abuelo me diría:
«Salam» pero sucede
que se cayó mientras volaba,
se cayó al pozo de la muerte.

En tal edificio dormí
catorce meses y sus años,
escribí desdichas,
mordí
la inocencia de la amargura,
y ahora paso y no está la puerta:
la lluvia ha trabajado mucho.

Ahora me doy cuenta que he sido
no sólo un hombre sino varios

y que cuantas veces he muerto,
sin saber cómo he revivido,
como si cambiara de traje
me puse a vivir otra vida
y aquí me tienen sin que sepa
por qué no reconozco a nadie,
por qué nadie me reconoce,
si todos fallecieron aquí
y yo soy entre tanto olvido
un pájaro sobreviviente
o al revés la ciudad me mira
y sabe que yo soy un muerto.

Ando por bazares de seda
y por mercados miserables,
me cuesta creer que las calles
son las mismas, los ojos negros
duros como puntos de clavo
golpean contra mis miradas,
y la pálida Pagoda de Oro
con su inmóvil idolatría
ya no tiene ojos, ya no tiene
manos, ya no tiene fuego.
Adiós, calles sucias del tiempo,
adiós, adiós, amor perdido,
regreso al vino de mi casa,
regreso al amor de mi amada,
a lo que fui y a lo que soy,
agua y sol, tierras con manzanas,
meses con labios y con nombres,
regreso para no volver,
o nunca más quiero equivocarme,
es peligroso caminar
hacia atrás porque de repente
es una cárcel el pasado.

Baraja

Dentro del Lunes caben
todos los días juntos,
hacen una baraja
que resplandece y silba
cortando el tiempo con
copas, bastones, oros.

Martes maligno, sota
del amor desdichado,
llega bailando
con
el filo de una espada.
Imparcial, vestido
de rey distante el Miércoles
sale de la semana
con la señora Jueves,
se disimulan, arden
entre el agua y la arena,
clandestinos, se encuentran
siempre del brazo arriba,
siempre juntos abajo,
siempre acostados juntos.

El Viernes con su copa
galopa en la semana
como dentro de un aro
angosto, azul, eterno.

Sábado, dama negra
nocturna, coronada
con corazones rojos,
danza, bella, en el trono
de las cervecerías,

moja los pies del naipe
cantando en las esquinas:
cubre con un paraguas
tus alhajas bermejas
y canta hasta que caigas
en el Domingo blanco,
como un regalo de oro,
como un huevo en un plato.

Se van, se van, se fueron.

Se bajaron hasta
ser sólo cartulinas,
hebras de luz, perfiles.
Y el Lunes aparece.

Se van, se van, volvieron.

Fábula de la sirena y los borrachos

Todos estos señores estaban dentro
cuando ella entró completamente desnuda
ellos habían bebido y comenzaron a escupirla
ella no entendía nada recién salía del río
era una sirena que se había extraviado
los insultos corrían sobre su carne lisa
la inmundicia cubrió sus pechos de oro
ella no sabía llorar por eso no lloraba
no sabía vestirse por eso no se vestía
la tatuaron con cigarrillos y con corchos quemados
y reían hasta caer al suelo de la taberna
ella no hablaba porque no sabía hablar
sus ojos eran color de amor distante
sus brazos construidos de topacios gemelos
sus labios se cortaron en la luz del coral

y de pronto salió por esa puerta
apenas entró al río quedó limpia
relució como una piedra blanca en la lluvia
y sin mirar atrás nadó de nuevo
nadó hacia nunca más hacia morir.

Repertorio

Yo te buscaré a quién amar
antes de que no seas niño:
después te toca abrir tu caja
y comerte tus sufrimientos.

Yo tengo reinas encerradas,
como abejas, en mi dominio,
y tú verás una por una
cómo ellas se peinan la miel
para vestirse de manzanas,
para trepar a los cerezos,
para palpitar en el humo.

Te guardo estas novias salvajes
que tejerán la primavera
y que no conocen el llanto.
En el reloj del campanario
escóndete mientras desfilan
las encendidas de amaranto,
las últimas niñas de nieve,
las perdidas, las victoriosas,
las coronadas de amarillo,
las infinitamente oscuras,
y unas, pausadamente tiernas,
harán su baile transparente
mientras otras pasan ardiendo,
fugaces como meteoros.

Dime cuál quieres aún ahora,
más tarde ya sería tarde.

Hoy crees todo lo que cuento.

Mañana negarás la luz.

Yo soy el que fabrica sueños
y en mi casa de pluma y piedra
con un cuchillo y un reloj
corto las nubes y las olas,
con todos estos elementos
ordeno mi caligrafía
y hago crecer seres sin rumbo
que aún no podían nacer.

Lo que yo quiero es que te quieran,
y que no conozcas la muerte.

El gran mantel

Cuando llamaron a comer
se abalanzaron los tiranos
y sus cocotas pasajeras,
y era hermoso verlas pasar
como avispas de busto grueso
seguidas por aquellos pálidos
y desdichados tigres públicos.

Su oscura ración de pan
comió el campesino en el campo,
estaba solo y era tarde,
estaba rodeado de trigo,
pero no tenía más pan,
se lo comió con dientes duros,
mirándolo con ojos duros.

En la hora azul del almuerzo,
la hora infinita del asado,
el poeta deja su lira,
toma el cuchillo, el tenedor
y pone su vaso en la mesa,
y los pescadores acuden
al breve mar de la sopera.
Las papan ardiendo protestan
entre las lenguas del aceite.
Es de oro el cordero en las brasas
y se desviste la cebolla.
Es triste comer de frac,
es comer en un ataúd,
pero comer en los conventos
es comer ya bajo la tierra.
Comer solos es muy amargo
pero no comer es profundo,
es hueco, es verde, tiene espinas
como una cadena de anzuelos
que cae desde el corazón
y que te clava por adentro.

Tener hambre es como tenazas,
es como muerden los cangrejos,
quema, quema y no tiene fuego:
el hambre es un incendio frío.
Sentémonos pronto a comer
con todos los que no han comido,
pongamos los largos manteles,
la sal en los lagos del mundo,
panaderías planetarias,
mesas con fresas en la nieve,
y un plato como la luna
en donde todos almorcemos.

Por ahora no pido más
que la justicia del almuerzo.

Con ella

Como es duro este tiempo, espérame:
vamos a vivirlo con ganas.
Dame tu pequeñita mano:
vamos a subir y sufrir,
vamos a sentir y saltar.

Somos de nuevo la pareja
que vivió en lugares hirsutos,
en nidos ásperos de roca.
Como es largo este tiempo, espérame
con una cesta, con tu pala,
con tus zapatos y tu ropa.

Ahora nos necesitamos
no sólo para los claveles,
no sólo para buscar miel:
necesitamos nuestras manos
para lavar y hacer el fuego,
y que se atreva el tiempo duro
a desafiar el infinito
de cuatro manos y cuatro ojos.

No tan alto

De cuando en cuando y a lo lejos
hay que darse un baño de tumba.

Sin duda todo está muy bien
y todo está muy mal, sin duda.

Van y vienen los pasajeros,
crecen los niños y las calles,
por fin compramos la guitarra
que lloraba sola en la tienda.

Todo está bien, todo está mal.

Las copas se llenan y vuelven
naturalmente a estar vacías
y a veces en la madrugada,
se mueren misteriosamente.

Las copas y los que bebieron.

Hemos crecido tanto que ahora
no saludamos al vecino
y tantas mujeres nos aman
que no sabemos cómo hacerlo.

Qué ropas hermosas llevamos!
Y qué importantes opiniones!

Conocí a un hombre amarillo
que se creía anaranjado
y a un negro vestido de rubio.

Se ven y se ven tantas cosas.

Vi festejados los ladrones
por caballeros impecables
y esto se pasaba en inglés.
Y vi a los honrados, hambrientos,
buscando pan en la basura.

Yo sé que no me cree nadie.
Pero lo he visto con mis ojos.

Hay que darse un baño de tumba
y desde la tierra cerrada
mirar hacia arriba el orgullo.

Entonces se aprende a medir.
Se aprende a hablar, se aprende a ser.
Tal vez no seremos tan locos,
tal vez no seremos tan cuerdos.
Aprenderemos a morir.
A ser barro, a no tener ojos.
A ser apellido olvidado.

Hay unos poetas tan grandes
que no caben en una puerta
y unos negociantes veloces
que no recuerdan la pobreza.
Hay mujeres que no entrarán
por el ojo de una cebolla
y hay tantas cosas, tantas cosas,
y así son, y así no serán.

Si quieren no me crean nada.

Sólo quise enseñarles algo.

Yo soy profesor de la vida,
vago estudiante de la muerte
y si lo que sé no les sirve
no he dicho nada, sino todo.

Punto

No hay espacio más ancho que el dolor,
no hay universo como aquel que sangra.

El miedo

Todos me piden que dé saltos,
que tonifique y que futbole,
que corra, que nade y que vuele.
Muy bien.

Todos me aconsejan reposo,
todos me destinan doctores,
mirándome de cierta manera.
Qué pasa?

Todos me aconsejan que viaje,
que entre y que salga, que no viaje,
que me muera y que no me muera.
No importa.

Todos ven las dificultades
de mis vísceras sorprendidas
por radioterribles retratos.
No estoy de acuerdo.

Todos pican mi poesía
con invencibles tenedores
buscando, sin duda, una mosca.
Tengo miedo.

Tengo miedo de todo el mundo,
del agua fría, de la muerte.
Soy como todos los mortales,
inaplazable.

Por eso en estos cortos días
no voy a tomarlos en cuenta,
voy a abrirme y voy a encerrarme

con mi más pérfido enemigo,
Pablo Neruda.

Para la luna diurna

Luna del día, temblorosa
como una medusa en el cielo,
qué andas haciendo tan temprano?

Andas navegando o bailando?

Y ese traje de novia triste
deshilachado por el viento,
esas guirnaldas transparentes
de naufragios o de atavíos,
como si no hubieras llegado
aún a la casa de la noche
y cerca de la puerta buscaras
perdida, en el río del cielo
una llave color de estrella?

Y sigue el día y desvanece
tu corola martirizada
y arde el día como una casa
del Sur quemante y maderero.
El sol con sus crines atómicas
hierve y galopa enfurecido
mientras pasa tu cola blanca
como un pescado por el cielo.

Vuélvete a la noche profunda,
luna de los ferrocarriles,
luna del tigre tenebroso,
luna de las cervecerías,
vuelve al salón condecorado

de las altas noches fluviales,
sigue deslizando tu honor
sobre la paciencia del cielo.

Cierto cansancio

No quiero estar cansado solo,
quiero que te canses conmigo.

Cómo no sentirse cansado
de cierta ceniza que cae
en las ciudades en otoño,
algo que ya no quiere arder,
y que en los trajes se acumula
y poco a poco va cayendo
destiñendo los corazones.

Estoy cansado del mar duro
y de la tierra misteriosa.
Estoy cansado de las gallinas:
nunca supimos lo que piensan,
y nos miran con ojos secos
sin concedernos importancia.

Te invito a que de una vez
nos cansemos de tantas cosas,
de los malos aperitivos
y de la buena educación.

Cansémonos de no ir a Francia,
cansémonos de por lo menos
uno o dos días en la semana
que siempre se llaman lo mismo
como los platos en la mesa,
y que nos levantan, a qué?
y que nos acuestan sin gloria.

Digamos la verdad al fin,
que nunca estuvimos de acuerdo
con estos días comparables
a las moscas y a los camellos.

He visto algunos monumentos
erigidos a los titanes,
a los burros de la energía.
Allí los tienen sin moverse
con sus espadas en la mano
sobre sus tristes caballos.
Estoy cansado de las estatuas.
No puedo más con tanta piedra.

Si seguimos así llenando
con los inmóviles el mundo,
cómo van a vivir los vivos?

Estoy cansado del recuerdo.

Quiero que el hombre cuando nazca
respire las flores desnudas,
la tierra fresca, el fuego puro,
no lo que todos respiraron.

Dejen tranquilos a los que nacen!
Dejen sitio para que vivan!
No les tengan todo pensado,
no les lean el mismo libro,
déjenlos descubrir la aurora
y ponerle nombre a sus besos.

Quiero que te canses conmigo
de todo lo que está bien hecho.
De todo lo que nos envejece.
De lo que tienen preparado
para fatigar a los otros.
Cansémonos de lo que mata
y de lo que no quiere morir.

Cuánto pasa en un día

Dentro de un día nos veremos.

Pero en un día crecen cosas,
se venden uvas en la calle,
cambia la piel de los tomates,
la muchacha que te gustaba
no volvió más a la oficina.

Cambiaron de pronto el cartero.
Las cartas ya no son las mismas.

Varias hojas de oro y es otro:
este árbol es ahora un rico.

Quién nos diría que la tierra
con su vieja piel cambia tanto?
Tiene más volcanes que ayer,
el cielo tiene nuevas nubes,
los ríos van de otra manera.

Además, cuánto se construye!
Yo he inaugurado centenares
de carreteras, de edificios,
de puentes puros y delgados
como navíos o violines.

Por eso cuando te saludo
y beso tu boca florida
nuestros besos son otros besos
y nuestras bocas otras bocas.

Salud, amor, salud por todo
lo que cae y lo que florece.

Salud por ayer y por hoy,
por anteayer y por mañana.

Salud por el pan y la piedra,
salud por el fuego y la lluvia.

Por lo que cambia, nace, crece,
se consume y vuelve a ser beso.

Salud por lo que tenemos de aire
y lo que tenemos de tierra.

Cuando se seca nuestra vida
nos quedan sólo las raíces
y el viento es frío como el odio.

Entonces cambiamos de piel,
de uñas, de sangre, de mirada,
y tú me besas y yo salgo
a vender luz por los caminos.

Salud por la noche y el día
y las cuatro estaciones del alma.

Vamos saliendo

El hombre dijo sí sin que supiera
determinar de lo que se trataba,
y fue llevado, y fue sobrellevado,
y nunca más salió de su envoltorio,
y es así: nos vamos cayendo
dentro del pozo de los otros seres
y un hilo viene y nos envuelve el cuello
y otro nos busca el pie y ya no se puede,
ya no se puede andar sino en el pozo:
nadie nos saca de los otros hombres.

Parece que no sabemos hablar,
parece que hay palabras que huyen,
que no están, que se fueron y nos dejaron
a nosotros con trampas y con hilos.

Y de pronto ya está, ya no sabemos
de qué se trata pero estamos dentro
y ya no volveremos a mirar
como cuando jugábamos de niños,
ya se nos terminaron estos ojos,
ya nuestras manos salen de otros brazos.

Por eso cuando duermes sueñas solo
y corres libre por las galerías
de un solo sueño que te pertenece,
y ay que no vengan a robarnos sueños,
ay que no nos enreden en la cama.
Guardémonos la sombra
a ver si desde nuestra oscuridad
salimos y tanteamos las paredes,
acechamos la luz para cazarla
y de una vez por todas
nos pertenece el sol de cada día.

Soliloquio en tinieblas

Entiendo que ahora tal vez
estamos gravemente solos,
me propongo preguntar cosas:
nos hablaremos de hombre a hombre.

Contigo, con aquel que pasa,
con los que nacieron ayer,
con todos los que se murieron
y con los que nacerán mañana

quiero hablar sin que nadie escuche,
sin que estén susurrando siempre,
sin que se transformen las cosas
en las orejas del camino.

Bueno, pues, de dónde y adónde?
Por qué se te ocurrió nacer?
Sabes que la tierra es pequeña,
apenas como una manzana,
como una piedrecita dura,
y que se matan los hermanos
por un puñado de polvo?

Para los muertos hay tierra!

Ya sabes o vas a saber
que el tiempo es apenas un día
y un día es una sola gota?
Cómo andarás, cómo anduviste?
Social, gregario o taciturno?
Vas a caminar adelante
de los que nacieron contigo?
O con un trabuco en la mano
vas a amenazar sus riñones?

Qué vas a hacer con tantos días
que te sobran, y sobre todo
con tantos días que te faltan?

Sabes que en las calles no hay nadie
y adentro de las casas tampoco?

Sólo hay ojos en las ventanas.
Si no tienes dónde dormir
toca una puerta y te abrirán,
te abrirán hasta cierto punto
y verás que hace frío adentro,
que aquella casa está vacía,

re nada contigo,
en nada tus historias,
insistes con tu ternura
te muerden el perro y el gato.

Hasta luego, hasta que me olvides!

Me voy porque no tengo tiempo
de hacer más preguntas al viento.

Tengo tanta prisa que apenas
puedo caminar con decoro,
en alguna parte me esperan
para acusarme de algo, y tengo
yo que defenderme de algo:
nadie sabe de qué se trata
pero se sabe que es urgente
y si no llego está cerrado,
y cómo voy a defenderme
si toco y no me abren la puerta?

Hasta luego, hablaremos antes.
O hablamos después, no recuerdo,
o tal vez no nos hemos visto,
no podemos comunicarnos.
Tengo estas costumbres de loco,
hablo, no hay nadie y no me escucho,
me pregunto y no me respondo.

V.

Sufro de aquel amigo que murió
y que era como yo buen carpintero.
Íbamos juntos por mesas y calles,
por guerras, por dolores y por piedras.

Cómo se le agrandaba la mirada
conmigo, era un fulgor aquel huesudo,
y su sonrisa me sirvió de pan,
nos dejamos de ver y V. se fue enterrando
hasta que lo obligaron a la tierra.

Desde entonces los mismos,
los que lo acorralaron mientras vivió
lo visten, lo sacuden,
lo condecoran, no lo dejan muerto,
y al pobre tan dormido
lo arman con sus espinas
y contra mí lo tiran, a matarme,
a ver quién mide más, mi pobre muerto
o yo, su hermano vivo.

Y ahora busco a quién contar las cosas
y no hay nadie que entienda estas miserias,
esta alimentación de la amargura:
hace falta uno grande,
y aquél ya no sonríe.
Ya se murió y no hallo a quién decirle
que no podrán, que no lograrán nada:
él, en el territorio de su muerte,
con sus obras cumplidas
y yo con mis trabajos
somos sólo dos pobres carpinteros
con derecho al honor entre nosotros,
con derecho a la muerte y a la vida.

Partenogénesis

Todos los que me daban consejos
están más locos cada día.
Por suerte no les hice caso

y se fueron a otra ciudad,
en donde viven todos juntos
intercambiándose sombreros.

Eran sujetos estimables,
políticamente profundos,
y cada falta que yo hacía
les causaba tal sufrimiento
que encanecieron, se arrugaron,
dejaron de comer castañas,
y una otoñal melancolía
por fin los dejó delirantes.

Ahora yo no sé qué ser,
si olvidadizo o respetuoso,
si continuar aconsejado
o reprocharles su delirio:
no sirvo para independiente,
me pierdo entre tanto follaje,
y no sé si salir o entrar,
si caminar o detenerme,
si comprar gatos o tomates.

Voy a tratar de comprender
lo que no debo hacer y hacerlo,
y así poder justificar
los caminos que se me pierdan,
porque si yo no me equivoco
quién va a creer en mis errores?
Si continúo siendo sabio
nadie me va a tomar en cuenta.

Pero trataré de cambiar:
voy a saludar con esmero,
voy a cuidar las apariencias
con dedicación y entusiasmo
hasta ser todo lo que quieran
que uno sea y que uno no sea,
hasta no ser sino los otros.

Y entonces si me dejan tranquilo
me voy a cambiar de persona,
voy a discrepar de pellejo,
y cuando ya tenga otra boca,
otros zapatos, otros ojos,
cuando ya sea diferente
y nadie pueda conocerme
seguiré haciendo lo mismo
porque no sé hacer otra cosa.

Caballos

Vi desde la ventana los caballos.

*Fue en Berlín, en invierno. La luz
era sin luz, sin cielo el cielo.*

El aire blanco como un pan mojado.

*Y desde mi ventana un solitario circo
mordido por los dientes del invierno.*

*De pronto, conducidos por un hombre,
diez caballos salieron a la niebla.*

*Apenas ondularon al salir, como el fuego,
pero para mis ojos ocuparon el mundo
vacío hasta esa hora. Perfectos, encendidos,
eran como diez dioses de largas patas puras,
de crines parecidas al sueño de la sal.*

Sus grupas eran mundos y naranjas.

Su color era miel, ámbar, incendio.

Sus cuellos eran torres
cortadas en la piedra del orgullo,
y a los ojos furiosos se asomaba
como una prisionera, la energía.

Y allí en silencio, en medio
del día, del invierno sucio y desordenado,
los caballos intensos eran la sangre,
el ritmo, el incitante tesoro de la vida.

Miré, miré y entonces reviví: sin saberlo
allí estaba la fuente, la danza de oro, el cielo,
el fuego que vivía en la belleza.

He olvidado el invierno de aquel Berlín oscuro.

No olvidaré la luz de los caballos.

No me pregunten

Tengo el corazón pesado
con tantas cosas que conozco,
es como si llevara piedras
desmesuradas en un saco,
o la lluvia hubiera caído,
sin descansar, en mi memoria.

No me pregunten por aquello.
No sé de lo que están hablando.
No supe yo lo que pasó.

Los otros tampoco sabían
y así anduve de niebla en niebla
pensando que nada pasaba,
buscando frutas en las calles,

pensamientos en las praderas
y el resultado es el siguiente:
que todos tenían razón
y yo dormía mientras tanto.
Por eso agreguen a mi pecho
no sólo piedras sino sombra,
no sólo sombra sino sangre.

Así son las cosas, muchacho,
y así también no son las cosas,
porque, a pesar de todo, vivo,
y mi salud es excelente,
me crecen el alma y las uñas,
ando por las peluquerías,
voy y vengo de las fronteras,
reclamo y marco posiciones,
pero si quieren saber más
se confunden mis derroteros
y si oyen ladrar la tristeza
cerca de mi casa, es mentira:
el tiempo claro es el amor,
el tiempo perdido es el llanto.

Así, pues, de lo que recuerdo
y de lo que no tengo memoria,
de lo que sé y de lo que supe,
de lo que perdí en el camino
entre tantas cosas perdidas,
de los muertos que no me oyeron
y que tal vez quisieron verme,
mejor no me pregunten nada:
toquen aquí, sobre el chaleco,
y verán cómo me palpita
un saco de piedras oscuras.

Aquellos días

Las brumas del Norte y del Sur
me dejaron un poco Oeste
y así pasaron aquellos días.
Navegaban todas las cosas.
Me fui sin duda a titular
de caballero caminante,
me puse todos los sombreros,
conocí muchachas veloces,
comí arena, comí sardinas,
y me casé de cuando en cuando.

Pero sin querer presumir
de emperador o marinero
debo confesar que recuerdo
los más amables huracanes,
y que me muero de codicia
al recordar lo que no tengo:
lo rico que fui y que no fui,
el hambre que me mantenía,
y aquellos zapatos intrusos
que no golpeaban a la puerta.

Lo grande de las alegrías
es el doble fondo que tienen.
Y no se vive sólo de hoy:
el presente es una valija
con un reloj de contrabando,
nuestro corazón es futuro
y nuestro placer es antiguo.

Así pues fui de rumbo en rumbo
con calor, con frío y con prisa
y todo lo que no vi

lo estoy recordando hasta ahora,
todas las sombras que nadé,
todo el mar que me recibía:
me anduve pegando en las piedras,
me acostaba con las espinas,
y tuve el honor natural
de los que no son honorables.

No sé por qué cuento estas cosas,
estas tierras, estos minutos,
este humo de aquellas hogueras.
A nadie le importa temblar
con los terremotos ajenos
y en el fondo a nadie le gusta
la juventud de los vecinos.
Por eso no pido perdón.
Estoy en mi sitio de siempre.
Tengo un árbol con tantas hojas
que aunque no me jacto de eterno
me río de ti y del otoño.

Muchos somos

De tantos hombres que soy, que somos,
no puedo encontrar a ninguno:
se me pierden bajo la ropa,
se fueron a otra ciudad.

Cuando todo está preparado
para mostrarme inteligente
el tonto que llevo escondido
se toma la palabra en mi boca.

Otras veces me duermo en medio
de la sociedad distinguida

y cuando busco en mí al valiente,
un cobarde que no conozco
corre a tomar con mi esqueleto
mil deliciosas precauciones.

Cuando arde una casa estimada
en vez del bombero que llamo
se precipita el incendiario
y ése soy yo. No tengo arreglo.
Qué debo hacer para escogerme?

Cómo puedo rehabilitarme?
Todos los libros que leo
celebran héroes refulgentes
siempre seguros de sí mismos:
me muero de envidia por ellos,
y en los filmes de vientos y balas
me quedo envidiando al jinete,
me quedo admirando al caballo.

Pero cuando pido al intrépido
me sale el viejo perezoso,
y así yo no sé quién soy,
no sé cuántos soy o seremos.
Me gustaría tocar un timbre
y sacar el mí verdadero
porque si yo me necesito
no debo desaparecerme.

Mientras escribo estoy ausente
y cuando vuelvo ya he partido:
voy a ver si a las otras gentes
les pasa lo que a mí me pasa,
si son tantos como soy yo,
si se parecen a sí mismos
y cuando lo haya averiguado
voy a aprender tan bien las cosas
que para explicar mis problemas
les hablaré de geografía.

Al pie desde su niño

El pie del niño aún no sabe que es pie,
y quiere ser mariposa o manzana.

Pero luego los vidrios y las piedras,
las calles, las escaleras,
y los caminos de la tierra dura
van enseñando al pie que no puede volar,
que no puede ser fruto redondo en una rama.
El pie del niño entonces
fue derrotado, cayó
en la batalla,
fue prisionero,
condenado a vivir en un zapato.

Poco a poco sin luz
fue conociendo el mundo a su manera,
sin conocer el otro pie, encerrado,
explorando la vida como un ciego.

Aquellas suaves uñas
de cuarzo, de racimo,
se endurecieron, se mudaron
en opaca substancia, en cuerno duro,
y los pequeños pétalos del niño
se aplastaron, se desequilibraron,
tomaron formas de reptil sin ojos,
cabezas triangulares de gusano.
Y luego encallecieron,
se cubrieron
con mínimos volcanes de la muerte,
inaceptables endurecimientos.

Pero este ciego anduvo
sin tregua, sin parar
hora tras hora,
el pie y el otro pie,
ahora de hombre
o de mujer,
arriba,
abajo,
por los campos, las minas,
los almacenes y los ministerios,
atrás,
afuera, adentro,
adelante,
este pie trabajó con su zapato,
apenas tuvo tiempo
de estar desnudo en el amor o el sueño,
caminó, caminaron
hasta que el hombre entero se detuvo.

Y entonces a la tierra
bajó y no supo nada,
porque allí todo y todo estaba oscuro,
no supo que había dejado de ser pie,
si lo enterraban para que volara
o para que pudiera
ser manzana.

Aquí vivimos

Yo soy de los que viven
a medio mar y cerca del crepúsculo,
más allá de esas piedras.

Cuando yo vine
y vi lo que pasaba
me decidí de pronto.

El día ya sé había repartido,
ya era todo de luz
y el mar peleaba
como un león de sal,
con muchas manos.

La soledad abierta allí cantaba,
y yo, perdido y puro,
mirando hacia el silencio
abrí la boca, dije:
«Oh madre de la espuma,
soledad espaciosa,
fundaré aquí mi propio regocijo,
mi singular lamento».

Desde entonces jamás
me defraudó una ola,
siempre encontré sabor central de cielo
en el agua, en la tierra,
y la leña y el mar ardieron juntos
durante los solitarios inviernos.

Gracias doy a la tierra
por haberme
esperado
a la hora en que el cielo y el océano
se unen como dos labios,
porque no es poco, no es así? haber vivido
en una soledad y haber llegado a otra,
sentirse multitud y revivirse solo.

Amo todas las cosas,
y entre todos los fuegos
sólo el amor no gasta,
por eso voy de vida en vida,
de guitarra en guitarra,
y no le tengo miedo
a la luz ni a la sombra,

y porque casi soy de tierra pura
tengo cucharas para el infinito.

Así, pues, nadie puede equivocarse
no hallar mi casa sin puertas ni número,
allí entre las piedras oscuras
frente al destello
de la sal violenta,
allí vivimos mi mujer y yo,
allí nos quedaremos.
Auxilio, auxilio! Ayuden!
Ayúdennos a ser más tierra cada día!
Ayúdennos a ser
más espuma sagrada, más aire de la ola!

Escapatoria

Casi pensé durmiendo,
casi soñé en el polvo,
en la lluvia del sueño.
Sentí los dientes viejos
al dormirme, tal vez
poco a poco me voy
transformando en caballo.

Sentí el olor del pasto
duro, de cordilleras,
y galopé hacia el agua,
hacia las cuatro puntas
tempestuosas del viento.

Es bueno ser caballo
suelto en la luz de junio
cerca de Selva Negra
donde corren los ríos

socavando espesura:
el aire peina allí
las alas del caballo
y circula en la sangre
la lengua del follaje.

Galopé aquella noche
sin fin, sin patria, solo,
pisando barro y trigo,
sueños y manantiales.
Dejé atrás como siglos
los bosques arrugados,
los árboles que hablaban,
las capitales verdes,
las familias del suelo.

Volví de mis regiones,
regresé a no soñar
por las calles, a ser
este viajero gris
de las peluquerías,
este yo con zapatos,
con hambre, con anteojos,
que no sabe de dónde
volvió, que se ha perdido,
que se levanta sin
pradera en la mañana,
que se acuesta sin ojos
para soñar sin lluvia.

Apenas se descuiden
me voy para Renaico.

La desdichada

La dejé en la puerta esperando
y me fui para no volver.

No supo que no volvería.

Pasó un perro, pasó una monja,
pasó una semana y un año.

Las lluvias borraron mis pasos
y creció el pasto en la calle,
y uno tras otro como piedras,
como lentas piedras, los años
cayeron sobre su cabeza.

Entonces la guerra llegó,
llegó como un volcán sangriento.
Murieron los niños, las casas.

Y aquella mujer no moría.

Se incendió toda la pradera.
Los dulces dioses amarillos
que hace mil años meditaban
salieron del templo en pedazos.
No pudieron seguir soñando.

Las casas frescas y el *verandah*
en que dormí sobre una hamaca,
las plantas rosadas, las hojas
con formas de manos gigantes,
las chimeneas, las marimbas,
todo fue molido y quemado.

En donde estuvo la ciudad
quedaron cosas cenicientas,
hierros torcidos, infernales
cabelleras de estatuas muertas
y una negra mancha de sangre.

Y aquella mujer esperando.

Pastoral

Voy copiando montañas, ríos, nubes,
saco mi pluma del bolsillo, anoto
un pájaro que sube
o una araña en su fábrica de seda,
no se me ocurre nada más: soy aire,
aire abierto, donde circula el trigo
y me conmueve un vuelo, la insegura
dirección de una hoja, el redondo
ojo de un pez inmóvil en el lago,
las estatuas que vuelan en las nubes,
las multiplicaciones de la lluvia.

No se me ocurre más que el transparente
estío, no canto más que el viento,
y así pasa la historia con su carro
recogiendo mortajas y medallas,
y pasa, y yo no siento sino ríos,
me quedo solo con la primavera.

Pastor, pastor, no sabes
que te esperan?

Lo sé, lo sé, pero aquí junto al agua,
mientras crepitan y arden las cigarras
aunque me esperen yo quiero esperarme,

yo también quiero verme,
quiero saber al fin cómo me siento,
y cuando llegue donde yo me espero
voy a dormirme muerto de la risa.

Sobre mi mala educación

Cuál es el cuál, cuál es el cómo?
Quién sabe cómo conducirse?

Qué naturales son los peces!
Nunca parecen inoportunos.
Están en el mar invitados
y se visten correctamente
sin una escama de menos,
condecorados por el agua.

Yo todos los días pongo
no sólo los pies en el plato,
sino los codos, los riñones,
la lira, el alma, la escopeta.

No sé qué hacer con las manos
y he pensado venir sin ellas,
pero dónde pongo el anillo?
Qué pavorosa incertidumbre!

Y luego no conozco a nadie.
No recuerdo sus apellidos.

—Me parece conocer a usted.
—No es usted un contrabandista?
—Y usted, señora, no es la amante
del alcohólico poeta
que se paseaba sin cesar,

sin rumbo fijo por las cornisas?
—Voló porque tenía alas.
—Y usted continúa terrestre.
—Me gustaría haberla entregado
como india viuda a un gran brasero.
No podríamos quemarla ahora?
Resultaría palpitante!

Otra vez en una Embajada
me enamoré de una morena,
no quiso desnudarse allí,
y yo se lo increpé con dureza:
estás loca, estatua silvestre,
cómo puedes andar vestida?

Me desterraron duramente
de ésa y de otras reuniones,
si por error me aproximaba
cerraban ventanas y puertas.

Anduve entonces con gitanos
y con prestidigitadores,
con marineros sin buque,
con pescadores sin pescado,
pero todos tenían reglas,
inconcebibles protocolos
y mi educación lamentable
me trajo malas consecuencias.

Por eso no voy y no vengo,
no me visto ni ando desnudo,
eché al pozo los tenedores,
las cucharas y los cuchillos.
Sólo me sonrío a mí solo,
no hago preguntas indiscretas
y cuando vienen a buscarme,
con gran honor, a los banquetes,
mando mi ropa, mis zapatos,

mi camisa con mi sombrero,
pero aun así no se contentan:
iba sin corbata mi traje.

Así, para salir de dudas
me decidí a una vida honrada
de la más activa pereza,
purifiqué mis intenciones,
salí a comer conmigo solo
y así me fui quedando mudo.
A veces me saqué a bailar,
pero sin gran entusiasmo,
y me acuesto solo, sin ganas,
por no equivocarme de cuarto.

Adiós, porque vengo llegando.

Buenos días, me voy de prisa.

Cuando quieran verme ya saben:
búsquenme donde no estoy
y si les sobra tiempo y boca
pueden hablar con mi retrato.

Olvidado en otoño

Eran las siete y media
del otoño
y yo esperaba
no importa a quién.
El tiempo,
cansado de estar allí conmigo,
poco a poco se fue
y me dejó solo.

Me quedé con la arena
del día, con el agua,
sedimentos
de una semana triste, asesinada.

–Qué pasa? –me dijeron
las hojas de París–, a quién esperas?

Y así fui varias veces humillado
primero por la luz que se marchaba,
luego por perros, gatos y gendarmes.

Me quedé solo
como un caballo solo
cuando en el pasto no hay noche ni día,
sino sal del invierno.

Me quedé
tan sin nadie, tan vacío
que lloraban las hojas,
las últimas, y luego
caían como lágrimas.

Nunca antes
ni después
me quedé tan de repente solo.
Y fue esperando a quién,
no me recuerdo,
fue tontamente,
pasajeramente,
pero aquello
fue la instantánea soledad,
aquella
que se había perdido en el camino
y que de pronto como propia sombra
desenrolló su infinito estandarte.

Luego me fui de aquella
esquina loca
con los pasos más rápidos que tuve,
fue como si escapara
de la noche
o de una piedra oscura y rodadora.
No es nada lo que cuento
pero eso me pasó cuando esperaba
a no sé quién un día.

Las viejas del océano

Al grave mar vienen las viejas
con anudados pañolones,
con frágiles pies quebradizos.

Se sientan solas en la orilla
sin cambiar de ojos ni de manos,
sin cambiar de nube o silencio.

El mar obsceno rompe y rasga,
desciende montes de trompetas,
sacude sus barbas de toro.

Las suaves señoras sentadas
como en un barco transparente
miran las olas terroristas.

Dónde irán y dónde estuvieron?
Vienen de todos los rincones,
vienen de nuestra propia vida.

Ahora tienen el océano,
el frío y ardiente vacío,
la soledad llena de llamas.

Vienen de todos los pasados,
de casas que fueron fragantes,
de crepúsculos quemados.

Miran o no miran el mar,
con el bastón escriben signos,
y borra el mar su caligrafía.

Las viejas se van levantando
con sus frágiles pies de pájaro,
mientras las olas desbocadas
viajan desnudas en el viento.

Estación inmóvil

Quiero no saber ni soñar.
Quién puede enseñarme a no ser,
a vivir sin seguir viviendo?

Cómo continúa el agua?
Cuál es el cielo de las piedras?

Inmóvil, hasta que detengan
las migraciones su apogeo
y luego vuelen con sus flechas
hacia el archipiélago frío.

Inmóvil, con secreta vida
como una ciudad subterránea
para que resbalen los días
como gotas inabarcables:
nada se gasta ni se muere
hasta nuestra resurrección,
hasta regresar con los pasos
de la primavera enterrada,

de lo que yacía perdido,
inacabablemente inmóvil
y que ahora sube desde no ser
a ser una rama florida.

Pobres muchachos

Cómo cuesta en este planeta
amarnos con tranquilidad:
todo el mundo mira las sábanas,
todos molestan a tu amor.
Y se cuentan cosas terribles
de un hombre y de una mujer
que después de muchos trajines
y muchas consideraciones
hacen algo insustituible,
se acuestan en una sola cama.

Yo me pregunto si las ranas
se vigilan y se estornudan,
si se susurran en las charcas
contra las ranas ilegales,
contra el placer de los batracios.
Yo me pregunto si los pájaros
tienen pájaros enemigos
y si el toro escucha a los bueyes
antes de verse con la vaca.

Ya los caminos tienen ojos,
los parques tienen policía,
son sigilosos los hoteles,
las ventanas anotan nombres,
se embarcan tropas y cañones
decididos contra el amor,
trabajan incesantemente

las gargantas y las orejas,
y un muchacho con su muchacha
se obligaron a florecer
volando en una bicicleta.

Así salen

Era bueno el hombre, seguro
con el azadón y el arado.
No tuvo tiempo siquiera
para soñar mientras dormía.

Fue sudorosamente pobre.
Valía un solo caballo.

Su hijo es hoy muy orgulloso
y vale varios automóviles.

Habla con boca de ministro,
se pasea muy redondo,
olvidó a su padre campestre
y se descubrió antepasados,
piensa como un diario grueso,
gana de día y de noche:
es importante cuando duerme.

Los hijos del hijo son muchos
y se casaron hace tiempo,
no hacen nada pero devoran,
valen millares de ratones.

Los hijos del hijo del hijo
cómo van a encontrar el mundo?
Serán buenos o serán malos?
Valdrán moscas o valdrán trigo?

Tú no me quieres contestar.

Pero no mueren las preguntas.

Balada

Vuelve, me dijo una guitarra
cerca de Rancagua, en otoño.
Todos los álamos tenían
color y temblor de campana:
hacía frío y era redondo
el cielo sobre la tristeza.

Entró a la cantina un borracho
tambaleando bajo las uvas
que le llenaban el sombrero
y le salían por los ojos.
Tenía barro en los zapatos,
había pisado la estatua
del otoño y había aplastado
todas sus manos amarillas.

Yo nunca volví a las praderas.
Pero apenas suenan las horas
claudicantes y deshonradas,
cuando al corazón se le caen
los botones y la sonrisa,
cuando dejan de ser celestes
los numerales del olvido,
aquella guitarra me llama,
y ya ha pasado tanto tiempo
que ya tal vez no exista nada,
ni la pradera ni el otoño,
y yo llegaría de pronto
como un fantasma en el vacío

con el sombrero lleno de uvas
preguntando por la guitarra,
y como allí no habría nadie
nadie entendería nada
y yo volvería cerrando
aquella puerta que no existe.

Laringe

Ahora va de veras, dijo
la Muerte y a mí me parece
que me miraba, me miraba.

Esto pasaba en hospitales,
en corredores agobiados
y el médico me averiguaba
con pupilas de periscopio.
Entró su cabeza en mi boca,
me rasguñaba la laringe:
allí tal vez había caído
una semilla de la muerte.

En un principio me hice humo
para que la cenicienta
pasara sin reconocerme.
Me hice el tonto, me hice el delgado,
me hice el sencillo, el transparente:
sólo quería ser ciclista
y correr donde no estuviera.

Luego la ira me invadió
y dije: Muerte, hija de puta,
hasta cuándo nos interrumpes?
No te basta con tantos huesos?
Voy a decirte lo que pienso:

no discriminas, eres sorda
e inaceptablemente estúpida.

Por qué pareces indagarme?
Qué te pasa con mi esqueleto?
Por qué no te llevas al triste,
al cataléptico, al astuto,
al amargo, al infiel, al duro,
al asesino, a los adúlteros,
al juez prevaricador,
al mentiroso periodista,
a los tiranos de las islas,
a los que incendian las montañas,
a los jefes de policía
con carceleros y ladrones?
Por qué vas a llevarme a mí?
Qué tengo que ver con el cielo?
El infierno no me conviene
y me siento bien en la tierra.

Con estas vociferaciones
mentales me sostenía
mientras el doctor intranquilo
se paseaba por mis pulmones:
iba de bronquio en bronquio como
pajarillo de rama en rama:
yo no sentía mi garganta,
mi boca se abría como
el hocico de una armadura
y entraba y salía el doctor
por mi laringe en bicicleta
hasta que adusto, incorregible,
me miró con su telescopio
y me separó de la muerte.

No era lo que se creía.
Esta vez sí no me tocaba.

Si les digo que sufrí mucho,
que quería al fin el misterio,
que Nuestro Señor y Señora
me esperaban en su palmera,
si les digo mi desencanto,
y que la angustia me devora
de no tener muerte cercana,
si digo como la gallina
que muero porque no muero
denme un puntapié en el culo
como castigo a un mentiroso.

Galopando en el Sur

A caballo cuarenta leguas:
las cordilleras de Malleco,
el campo está recién lavado,
el aire es eléctrico y verde.
Regiones de rocas y trigo,
un ave súbita se quiebra,
el agua resbala y escribe
cifras perdidas en la tierra.

Llueve, llueve con lenta lluvia,
llueve con agujas eternas
y el caballo que galopaba
se fue disolviendo en la lluvia:
luego se reconstruyó
con las gotas sepultureras
y voy galopando en el viento
sobre el caballo de la lluvia.

Sobre el caballo de la lluvia
voy dejando atrás las regiones,
la gran soledad mojada,
las cordilleras de Malleco.

Sonata con algunos pinos

Al semisol de largos días
arrimemos los huesos cansados

olvidemos a los infieles
a los amigos sin piedad

el sol vacila entre los pinos
olvidemos a los que no saben

hay tierras dentro de la tierra
pequeñas patrias descuidadas

no recordemos a los felices
olvidemos sus dentaduras

que se duerman los delicados
en sus divanes extrapuros

hay que conocer ciertas piedras
llenas de rayos y secretos

amanecer con luz verde
con trenes desesperados

y tocar ese fin del mundo
que siempre viajó con nosotros

olvidemos al ofendido
que come una sola injusticia

los árboles dejan arriba
un semicielo entrecruzado

por alambres de pino y sombra
por el aire que se deshoja

olvidemos sin arrogancia
a los que no pueden querernos

a los que buscan fuego y caen
como nosotros al olvido

no hay nada mejor que las ocho
de la mañana en la espuma

se acerca un perro y huele el mar
no tiene confianza en el agua

mientras tanto llegan las olas
vestidas de blanco a la escuela

hay un sabor de sol salado
y sube en las algas mortuorias
olor a parto y pudridero

cuál es la razón de no ser?
a dónde te llevaron los otros?

es bueno cambiar de camisa
de piel de pelos de trabajo

conocer un poco la tierra
dar a tu mujer nuevos besos

pertenecer al aire puro
desdeñar las oligarquías

cuando me fui de bruma en bruma
navegando con mi sombrero

no encontré a nadie con caminos
todos estaban preocupados

todos iban a vender cosas
nadie me preguntó quién era

hasta que fui reconociéndome
hasta que toqué una sonrisa

al semicielo y la enramada
acudamos con el cansancio

conversemos con las raíces
y con las olas descontentas

olvidemos la rapidez
los dientes de los eficaces

olvidemos la tenebrosa
miscelánea de los malignos

hagamos profesión terrestre
toquemos tierra con el alma.

Amor

Tantos días, ay tantos días
viéndote tan firme y tan cerca,
cómo lo pago, con qué pago?

La primavera sanguinaria
de los bosques se despertó,
salen los zorros de sus cuevas,
las serpientes beben rocío,
y yo voy contigo en las hojas,

entre los pinos y el silencio,
y me pregunto si esta dicha
debo pagarla cómo y cuándo.

De todas las cosas que he visto
a ti quiero seguirte viendo,
de todo lo que he tocado,
sólo tu piel quiero ir tocando:
amo tu risa de naranja,
me gustas cuando estás dormida.

Qué voy a hacerle, amor, amada,
no sé cómo quieren los otros,
no sé cómo se amaron antes,
yo vivo viéndote y amándote,
naturalmente enamorado.

Me gustas cada tarde más.

Dónde estará? Voy preguntando
si tus ojos desaparecen.
Cuánto tarda! pienso y me ofendo.
Me siento pobre, tonto y triste,
y llegas y eres una ráfaga
que vuela desde los duraznos.

Por eso te amo y no por eso,
por tantas cosas y tan pocas,
y así debe ser el amor
entrecerrado y general,
particular y pavoroso,
embanderado y enlutado,
florido como las estrellas
y sin medida como un beso.

Sueño de gatos

Qué bonito duerme un gato,
duerme con patas y peso,
duerme con sus crueles uñas,
y con su sangre sanguinaria,
duerme con todos los anillos
que como círculos quemados
construyeron la geología
de una cola color de arena.

Quisiera dormir como un gato
con todos los pelos del tiempo,
con la lengua del pedernal,
con el sexo seco del fuego
y después de no hablar con nadie,
tenderme sobre todo el mundo,
sobre las tejas y la tierra
intensamente dirigido
a cazar las ratas del sueño.

He visto cómo ondulaba,
durmiendo, el gato: corría
la noche en él como agua oscura,
y a veces se iba a caer,
se iba tal vez a despeñar
en los desnudos ventisqueros,
tal vez creció tanto durmiendo
como un bisabuelo de tigre
y saltaría en las tinieblas
tejados, nubes y volcanes.
Duerme, duerme, gato nocturno
con tus ceremonias de obispo,
y tu bigote de piedra:
ordena todos nuestros sueños,

dirige la oscuridad
de nuestras dormidas proezas
con tu corazón sanguinario
y el largo cuello de tu cola.

Recuerdos y semanas

Como es redondo el mundo
las noches se desploman
y caen hacia abajo.
Y todas se acumulan
y son sólo tinieblas,
abajo, abajo, abajo.

I

Seguí un día cualquiera,
quise saber qué se hacen,
dónde van, dónde mueren.

Por el mar, por las islas,
por ácidas praderas
se perdió, y yo seguía,
escondido detrás
de un árbol o una piedra.

Fue azul, fue anaranjado,
corrió como una rueda,
bajó en la tarde como
bandera de navío,
y más allá en los límites
del silencio y la nieve
se enrolló crepitando
como un hilo de fuego

y se apagó cubierto
por la fría blancura.

2

Las semanas se enrollan,
se hacen nubes, se pierden,
se esconden en el cielo,
allí depositadas
como luz desteñida.

Es largo el tiempo, Pedro,
es corto el tiempo, Rosa,
y las semanas, justas,
en su papel, gastadas,
se hacinan como granos,
dejan de palpitar.

Hasta que un día el viento
rumoroso, ignorante,
las abre, las extiende,
las golpea y ahora
suben como banderas
derrotadas que vuelven
a la patria perdida.

Así son los recuerdos.

Por fin se fueron

Todos golpeaban a la puerta
y se llevaban algo mío,
eran gente desconocida
que yo conocía muchísimo,

eran amigos enemigos
que esperaban desconocerme.

Qué podía hacer sin herirlos?

Abrí cajones, llené platos,
destapé versos y botellas:
ellos masticaban con furia
en un comedor descubierto.

Registraban con gran cuidado
los rincones buscando cosas,
yo los encontré durmiendo
varios meses entre mis libros,
mandaban a la cocinera,
caminaban en mis asuntos.

Pero cuando me atormentaron
las brasas de un amor misterioso,
cuando por amor y piedad
padecí dormido y despierto,
la caravana se rompió,
se mudaron con sus camellos.

Se juntaron a maldecirme.
Éstos pintorescamente puros
se solazaron, reunidos,
buscando medios con afán
para matarme de algún modo:
el puñal propuso una dama,
el cañón prefirió un valiente,
pero con nocturno entusiasmo
se decidieron por la lengua.

Con intensidad trabajaron,
con ojos, con boca y con manos.
Quién era yo, quién era ella?
Con qué derecho y cuándo y cómo?

Con castos ojos revelaban
interioridades supuestas
y decidían protegerme
contra una incesante vampira.
Adelgazaron gravemente.
Exiliados de mi conciencia
se alimentaban con suspiros.

Pasó el tiempo y no estuve solo.

Como siempre en estas historias
mata el amor al enemigo.

Ahora no sé quiénes son:
desapareciendo un minuto
se borraron de mis recuerdos:
son como incómodos zapatos
que al fin me dejaron tranquilo.

Yo estoy con la miel del amor
en la dulzura vespertina.
Se los llevó la sombra a ellos,
malos amigos enemigos,
conocidos desconocidos
que no volverán a mi casa.

Itinerarios

En tantas ciudades estuve
que ya la memoria me falta
y no sé ni cómo ni cuándo.

Aquellos perros de Calcuta
que ondulaban y que sonaban
todo el día como campanas,
y en Durango, qué anduve haciendo?

Para qué me casé en Batavia?

Fui caballero sin castillo,
improcedente pasajero,
persona sin ropa y sin oro,
idiota puro y errante.

Qué anduve buscando en Toledo,
en esa pútrida huesera
que tiene sólo cascarones
con fantasmas de medio pelo?

Por qué viví en Rangoon de Birmania,
la capital excrementicia
de mis navegantes dolores?

Y que me digan los que saben
qué se me perdió en Veracruz,
por qué estuve cincuenta veces
refregándome y maldiciendo
en esa tutelar estufa
de borrachos y de jazmines.

También estuve en Capri amando
como los sultanes caídos,
mi corazón reconstruyó
sus camas y sus carreteras,
pero, la verdad, por qué allí?
Qué tengo que ver con las islas?

Aquella noche me esperaban
con fuego y velas encendidas,
los pinos susurraban cosas
en su melancólico idioma
y allí reuní mi razón
con mi corazón desbordado.

Recuerdo días de Colombo
excesivamente fragantes,
embriagadoramente rojos.
Se perdieron aquellos días
y en el fondo de mi memoria
llueve la lluvia de Carahue.

Por qué, por qué tantos caminos,
tantas ciudades hostiles?
Qué saqué de tantos mercados?
Cuál es la flor que yo buscaba?
Por qué me moví de mi silla
y me vestí de tempestuoso?

Nadie lo sabe ni lo ignora:
es lo que pasa a todo el mundo:
se mueve la sombra en la tierra
y el alma del hombre es de sombra,
por eso se mueve.

Muchas veces cuando despierto
no sé dónde estoy acostado
y aguzo el oído hasta que llegan
los frescos rumores del día:
voy reconociendo las olas
o el golpe del picapedrero,
los gritos de los desdentados,
el silbido de la corriente,
y si me equivoco de sueños
como una nave equivocada
busco la tierra que amanece
para confirmar mi camino.

De pronto cuando voy andando
sale de pronto de algún sitio
un olor a piedra o a lluvia,
algo infinitamente puro
que sube yo no sé de dónde

y me conversa sin palabras,
y yo reconozco la boca
que no está allí, que sigue hablando.
Busco de dónde es ese aroma,
de qué ciudad, de qué camino,
sé que alguien me está buscando,
alguien perdido en las tinieblas.
Y no sé, si alguien me ha besado,
qué significan esos besos.

Tal vez debo arreglar mis cosas
comenzando por mi cabeza:
voy a numerar con cuadritos
mi cerebro y mi cerebelo
y cuando me salga un recuerdo
diré «número ciento y tantos».
Entonces reconoceré
el muro y las enredaderas
y tal vez voy a entretenerme
poniendo nombres al olvido.

De todas maneras aquí
me propongo terminar esto,
y antes de volver al Brasil
pasando por Antofagasta
en Isla Negra los espero,
entre ayer y Valparaíso.

Adiós a París

Qué hermoso el Sena, río abundante
con sus árboles cenicientos,
con sus torres y sus agujas.

Y yo qué vengo a hacer aquí?

Todo es más bello que una rosa,
una rosa descabellada,
una rosa desfalleciente.
Es crepuscular esta tierra,
el atardecer y la aurora
son las dos naves del río,
y pasan y se entrecruzan
sin saludarse, indiferentes,
porque hace mil veces mil años
se conocieron y se amaron.

Hace ya demasiado tiempo.

Se arrugó la piedra y crecieron
las catedrales amarillas,
las usinas extravagantes,
y ahora el otoño devora cielo,
se nutre de nubes y de humo,
se establece como un rey negro
en un litoral vaporoso.

No hay tarde más dulce en el mundo.
Todo se recogió a tiempo,
el color brusco, el vago grito,
se quedó sólo la neblina
y la luz envuelta en los árboles
se puso su vestido verde.

Tengo tanto que hacer en Chile,
me esperan Salinas y Laura,
a todos debo algo en mi patria,
y a esta hora está la mesa puesta
esperándome en cada casa,
otros me aguardan para herirme,
y además son aquellos árboles
de follaje ferruginoso
los que conocen mis desdichas,
mi felicidad, mis dolores,

aquellas alas son las mías,
ésa es el agua que yo quiero,
el mar pesado como piedra,
más alto que estos edificios,
duro y azul como una estrella.

Y yo qué vengo a hacer aquí?

Cómo llegué por estos lados?

Tengo que estar donde me llaman
para bautizar los cimientos,
para mezclar arena y hombre,
tocar las palas y la tierra
porque tenemos que hacerlo todo
allí en la tierra en que nacimos,
tenemos que fundar la patria,
el canto, el pan y la alegría,
tenemos que limpiar el honor
como las uñas de una reina
y así flotarán en el viento
las banderas purificadas
sobre las torres cristalinas.

Adiós, otoño de París,
navío azul, mar amoroso,
adiós ríos, puentes, adiós
pan crepitante y fragante,
profundo y suave vino, adiós
y adiós, amigos que me amaron,
me voy cantando por los mares
y vuelvo a respirar raíces.
Mi dirección es vaga, vivo
en alta mar y en alta tierra:
mi ciudad es la geografía:
la calle se llama «Me Voy»,
el número «Para No Volver».

Ay qué sábados más profundos!

Ay qué sábados más profundos!
Es interesante el planeta
con tanta gente en movimiento:
olas de pies en los hoteles,
urgentes motociclistas,
ferrocarriles hacia el mar
y cuántas muchachas inmóviles
raptadas por rápidas ruedas.

Todas las semanas terminan
en hombres, mujeres y arena,
y hay que correr, no perder nada,
vencer inútiles colinas,
masticar música insoluble,
volver cansados al cemento.

Yo bebo por todos los sábados
sin olvidar al prisionero
detrás de las paredes crueles:
ya no tienen nombre sus días
y este rumor que cruza y corre
lo rodea como el océano
sin conocer cuál es la ola,
la ola del húmedo sábado.

Ay qué sábados irritantes
armados de bocas y piernas
desenfrenadas, de carrera,
bebiendo más de lo prudente:
no protestemos del bullicio
que no quiere andar con nosotros.

Sueños de trenes

Estaban soñando los trenes
en la estación, indefensos,
sin locomotoras, dormidos.

Entré titubeando en la aurora:
anduve buscando secretos,
cosas perdidas en los vagones,
en el olor muerto del viaje.
Entre los cuerpos que partieron
me senté solo en el tren inmóvil.

Era compacto el aire, un bloque
de conversaciones caídas
y fugitivos desalientos.
Almas perdidas en los trenes
como llaves sin cerraduras
caídas bajo los asientos.

Pasajeras del Sur cargadas
de ramilletes y gallinas,
tal vez fueron asesinadas,
tal vez volvieron y lloraron,
tal vez gastaron los vagones
con el fuego de sus claveles:
tal vez yo viajo, estoy con ellas,
tal vez el vapor de los viajes,
los rieles mojados, tal vez
todo vive en el tren inmóvil
y yo un pasajero dormido
desdichadamente despierto.

Yo estuve sentado y el tren
andaba dentro de mi cuerpo

aniquilando mis fronteras,
de pronto era el tren de la infancia,
el humo de la madrugada,
el verano alegre y amargo.

Eran otros trenes que huían,
carros repletos de dolores,
cargados como con asfalto,
y así corría el tren inmóvil
en la mañana que crecía
dolorosa sobre mis huesos.

Yo estaba solo en el tren solo,
pero no sólo estaba solo,
sino que muchas soledades
allí se habrán congregado
esperando para viajar
como pobres en los andenes.
Y yo en el tren como humo muerto
con tantos inasibles seres,
por tantas muertes agobiado
me sentí perdido en un viaje
en el que nada se movía,
sino mi corazón cansado.

Dónde estará la Guillermina?

Dónde estará la Guillermina?

Cuando mi hermana la invitó
y yo salí a abrirle la puerta,
entró el sol, entraron estrellas,
entraron dos trenzas de trigo
y dos ojos interminables.

Yo tenía catorce años
y era orgullosamente oscuro,
delgado, ceñido y fruncido,
funeral y ceremonioso:
yo vivía con las arañas,
humedecido por el bosque,
me conocían los coleópteros
y las abejas tricolores,
yo dormía con las perdices
sumergido bajo la menta.

Entonces entró la Guillermina
con dos relámpagos azules
que me atravesaron el pelo
y me clavaron como espadas
contra los muros del invierno.
Esto sucedió en Temuco.
Allá en el Sur, en la frontera.

Han pasado lentos los años
pisando como paquidermos,
ladrando como zorros locos,
han pasado impuros los años
crecientes, raídos, mortuorios,
y yo anduve de nube en nube,
de tierra en tierra, de ojo en ojo,
mientras la lluvia en la frontera
caía, con el mismo traje.

Mi corazón ha caminado
con intransferibles zapatos,
y he digerido las espinas:
no tuve tregua donde estuve:
donde yo pegué me pegaron,
donde me mataron caí
y resucité con frescura,
y luego y luego y luego y luego,
es tan largo contar las cosas.

No tengo nada que añadir.

Vine a vivir en este mundo.

Dónde estará la Guillermina?

Vuelve el amigo

Cuando muere tu amigo
en ti vuelve a morirse.

Te busca hasta encontrarte
para que tú lo mates.

Tomemos nota, andando,
conversando, comiendo,
de su fallecimiento.

Poco importante es lo que le ha pasado.
Todo el mundo sabía sus dolores.
Ya se murió, y apenas se le nombra.
Pasó su nombre y nadie lo detuvo.

Sin embargo él llegó después de muerto
para que sólo aquí lo recordáramos.
Él buscó nuestros ojos implorando.
No lo quisimos ver y no lo vimos.
Entonces ya se fue y ahora no vuelve.
No vuelve más, ya no lo quiere nadie.

Sucedió en invierno

No había nadie en aquella casa.
Yo estaba invitado y entré.
Me había invitado un rumor,
un peregrino sin presencia,
y el salón estaba vacío
y me miraban con desdén
los agujeros de la alfombra.

Los estantes estaban rotos.

Era el otoño de los libros
que volaban hoja por hoja.
En la cocina dolorosa
revoloteaban cosas grises,
tétricos papeles cansados,
alas de cebolla muerta.

Alguna silla me siguió
como un pobre caballo cojo
desprovisto de cola y crines,
con tres únicas, tristes patas,
y en la mesa me recliné
porque allí estuvo la alegría,
el pan, el vino, el estofado,
las conversaciones con ropa,
con indiferentes oficios,
con casamientos delicados:
pero estaba muda la mesa
como si no tuviera lengua.
Los dormitorios se asustaron
cuando yo traspuse el silencio.

Allí quedaron encallados
con sus desdichas y sus sueños,
porque tal vez los durmientes
allí se quedaron despiertos:
desde allí entraron en la muerte,
se desmantelaron las camas
y murieron los dormitorios
con un naufragio de navío.

Me senté en el jardín mojado
por gruesas goteras de invierno
y me parecía imposible
que debajo de la tristeza,
de la podrida soledad,
trabajaran aún las raíces
sin el estímulo de nadie.

Sin embargo entre vidrios rotos
y fragmentos sucios de yeso
iba a nacer una flor:
no renuncia, por desdeñada,
a su pasión, la primavera.

Cuando salí crujió una puerta
y sacudidas por el viento
relincharon unas ventanas
como si quisieran partir
a otra república, a otro invierno,
donde la luz y las cortinas
tuvieran color de cerveza.

Y yo apresuré mis zapatos
porque si me hubiera dormido
y me cubrieran tales cosas
no sabría lo que no hacer.
Y me escapé como un intruso
que vio lo que no debió ver.

Por eso a nadie conté nunca
esta visita que no hice:
no existe esa casa tampoco
y no conozco aquellas gentes
y no hay verdad en esta fábula:

son melancolías de invierno.

Dulce siempre

Por qué esas materias tan duras?
Por qué para escribir las cosas
y los hombres de cada día
se visten los versos con oro,
con antigua piedra espantosa?

Quiero versos de tela o pluma
que apenas pesen, versos tibios
con la intimidad de las camas
donde la gente amó y soñó.
Quiero poemas mancillados
por las manos y el cada día.

Versos de hojaldre que derritan
leche y azúcar en la boca,
el aire y el agua se beben,
el amor se muerde y se besa,
quiero sonetos comestibles,
poemas de miel y de harina.

La vanidad anda pidiéndonos
que nos elevemos al cielo
o que hagamos profundos túneles
inútiles bajo la tierra.
Y así olvidamos menesteres

deliciosamente amorosos,
se nos olvidan los pasteles,
no damos de comer al mundo.

En Madrás hace un tiempo largo
vi una pirámide azucarada,
una torre de dulcería.
Cada unidad sobre otra y otra
y en la arquitectura, rubíes,
y otras delicias sonrosadas,
medioevales y amarillas.

Alguien se ensució las manos
amasando tanta dulzura.
Hermanos poetas de aquí,
de allá, de la tierra y del cielo,
de Medellín, de Vera Cruz,
de Abisinia, de Antofagasta,
con qué se hicieron los panales?

Dejémonos de tanta piedra!

Que tu poesía desborde
la equinoccial pastelería
que quieren devorar nuestras bocas,
todas las bocas de los niños
y todos los pobres adultos.
No sigan solos sin mirar,
sin apetecer ni entender
tantos corazones de azúcar.

No tengan miedo a la dulzura.

Sin nosotros o con nosotros
lo dulce seguirá viviendo
y es infinitamente vivo,
eternamente redivivo,
porque en plena boca del hombre

para cantar o para comer
está situada la dulzura.

Diurno con llave nocturna

Son las nueve de la mañana
de un día enteramente puro,
a rayas azules y blancas,
recién lavado y estirado,
justo como una camiseta.

Todas las briznas olvidadas
de leña, de algas diminutas,
las patas de los insectos,
las pálidas plumas errantes,
los clavos que caen del pino,
todo reluce como puede,
el mundo tiene olor a estrella.

Pero ya viene el cartero
escupiendo cartas terribles,
cartas que debemos pagar,
que nos recuerdan deudas duras,
cartas en que alguien murió
y algún hermano cayó preso
y además alguien nos enreda
en sus profesiones de araña,
y luego traen un periódico
blanco y negro como la muerte
y todas las noticias lloran.
Mapa del mundo y del sollozo!
Diario mojado cada noche
y quemado cada mañana
por la guerra y por los dolores,
oh geografía dolorosa!

Ya la tarde rota se arruga
y vuela como papel muerto,
de calle en calle en calle va,
la orinan los perros errantes,
la persiguen los basureros,
le añaden aliños atroces,
tripas de gallos, excrementos,
zapatos irreconocibles
y es como un fardo el viejo día:
sucio papel y vidrios rotos
hasta que lo tiran afuera,
lo acuestan en los arrabales.

Llega la noche con su copa
de enredaderas estrelladas,
el sueño sumerge a los hombres,
los acumula en su subsuelo
y se lava el mundo otra vez,
otra vez regresa la luna,
la sombra sacude sus guantes
mientras trabajan las raíces.

Y nace de nuevo otro día.

Pacaypallá

Ya está la tierra en torno
de mí dándome vueltas
como el metal al son de la campana.

Ya está de cuanto amé
mi pequeño universo,
el sistema estrellado de las olas,
el desorden abrupto de las piedras.
Lejos, una ciudad con sus harapos,

llamándome, pobre sirena,
para que nunca, no, se desamore
mi corazón de sus duros deberes,
y yo con cielo y lira
en la luz de lo que amo,
inmóvil, indeciso,
levantando la copa de mi canto.

Oh aurora desprendida
de la sombra y la luna en el océano,
siempre vuelvo a tu sal abrasadora,
siempre es tu soledad la que me incita
y llegado otra vez no sé quién soy,
toco la arena dura, miro el cielo,
paseo sin saber dónde camino,
hasta que de la noche
suben y bajan flores indecibles:
en el ácido aroma
del litoral palpitan las estrellas.

Errante amor, retorno
con este corazón fresco y cansado
que pertenece al agua y a la arena,
al territorio seco de la orilla,
a la batalla blanca de la espuma.

Desconocidos en la orilla

He vuelto y todavía el mar
me dirige extrañas espumas,
no se acostumbra con mis ojos,
la arena no me reconoce.

No tiene sentido volver
sin anunciarse, al océano:

él no sabe que uno volvió
ni sabe que uno estuvo ausente
y está tan ocupada el agua
con tantos asuntos azules
que uno ha llegado y no se sabe:
las olas mantienen su canto
y aunque el mar tiene muchas manos,
muchas bocas y muchos besos
no te ha dado nadie la mano,
no te besa ninguna boca
y hay que darse cuenta de pronto
de la poca cosa que somos:
ya nos creíamos amigos,
volvemos abriendo los brazos
y aquí está el mar, sigue su baile
sin preocuparse de nosotros.

Tendré que esperar la neblina,
la sal aérea, el sol disperso,
que el mar respire y me respire,
porque no sólo es agua el agua
sino invasiones vaporosas,
y en el aire siguen las olas
como caballos invisibles.
Por eso tengo que aprender
a nadar dentro de mis sueños,
no vaya a venir el mar
a verme cuando esté dormido!
Si así sucede estará bien
y cuando despierte mañana,
las piedras mojadas, la arena
y el gran movimiento sonoro
sabrán quién soy y por qué vuelvo
me aceptarán en su instituto.

Y yo seré otra vez feliz
en la soledad de la arena,
desarrollado por el viento
y estimado por la marina.

Carta para que me manden madera

Ahora para hacer la casa,
tráiganme maderas del Sur,
tráiganme tablas y tablones,
vigas, listones, tejuelas,
quiero ver llegar el perfume,
quiero que suenen descargando
el sonido del Sur que traen.

Cómo puedo vivir tan lejos
de lo que amé, de lo que amo?
De las estaciones envueltas
por vapor y por humo frío?
Aunque murió hace tantos años
por allí debe andar mi padre
con el poncho lleno de gotas
y la barba color de cuero.

La barba color de cebada
que recorría los ramales,
el corazón del aguacero,
y que alguien se mida conmigo
a tener padre tan errante,
a tener padre tan llovido:
su tren iba desesperado
entre las piedras de Carahue,
por los rieles de Colli-Pulli,
en las lluvias de Puerto Varas.
Mientras yo acechaba perdices
o coleópteros violentos,
buscaba el color del relámpago,
buscaba un aroma indeleble,
flor arbitraria o miel salvaje,
mi padre no perdía el tiempo:

sobre el invierno establecía
el sol de sus ferrocarriles.

Yo perdí la lluvia y el viento
y qué he ganado, me pregunto?
Porque perdí la sombra verde
a veces me ahogo y me muero:
es mi alma que no está contenta
y busca bajo mis zapatos
cosas gastadas o perdidas.
Tal vez aquella tierra triste
se mueve en mí como un navío:
pero yo cambié de planeta.

La lluvia ya no me conoce.

Y ahora para las paredes,
para las ventanas y el suelo,
para el techo, para las sábanas,
para los platos y la mesa
tráiganme maderas oscuras
secretas como la montaña,
tablas claras y tablas rojas,
alerce, avellano, mañío,
laurel, raulí y ulmo fragante,
todo lo que fue creciendo
secretamente en la espesura,
lo que fue creciendo conmigo:
tienen mi edad esas maderas,
tuvimos las mismas raíces.

Cuando se abra la puerta y entren
los fragmentos de la montaña
voy a respirar y tocar
lo que yo tal vez sigo siendo:
madera de los bosques fríos,
madera dura de Temuco,
y luego veré que el perfume

irá construyendo mi casa,
se levantarán las paredes
con los susurros que perdí,
con lo que pasaba en la selva,
y estaré contento de estar
rodeado por tanta pureza,
por tanto silencio que vuelve
a conversar con mi silencio.

El ciudadano

Entré en las ferreterías
con mi corazón inocente
a comprar un simple martillo
o unas tijeras abstractas:
nunca debiera haberlo hecho,
desde entonces y sin reposo
dedico mi tiempo al acero,
a las más vagas herramientas:
los azadones me someten,
me avasallan las herraduras.

Me inquieto toda la semana
buscando nubes de aluminio,
tornillos atormentados,
barras de níquel taciturno,
innecesarios aldabones,
y ya las ferreterías
conocen mi deslumbramiento:
me ven entrar con ojos locos
de maniático en su caverna
y se ve que acaricio cosas
tan enigmáticas y ahumadas
que nadie podría comprar
y que sólo miro y admiro.

Porque en el sueño del injusto
surgen flores inoxidables,
innúmeras palas de hierro,
cuentagotas para el aceite,
fluviales cucharas de cinc,
serruchos de estirpe marina.
Es como el interior de una estrella
la luz de las ferreterías:
allí con sus propios fulgores
están los clavos esenciales,
los invencibles picaportes,
la burbuja de los niveles
y los enredos del alambre.

Tienen corazón de ballena
las ferreterías del Puerto:
se tragaron todos los mares,
todos los huesos del navío:
allí se reúnen las olas,
la antigüedad de las mareas,
y depositan en su estómago
barriles que rodaron mucho,
cuerdas como arterias de oro,
anclas de peso planetario,
largas cadenas complicadas
como intestinos de la Bestia
y arpones que tragó nadando
al este del Golfo de Penas.

Cuando entré ya no salí más,
ya nunca dejé de volver
y nunca me dejó de envolver
un olor de ferreterías:
me llama como mi provincia,
me aconseja inútiles cosas,
me cubre como la nostalgia.

Qué voy a hacerle! Hay hombres solos
de hotel, de habitación soltera,
hay otros con patria y tambor,
hay infinitos aviadores
que suben y bajan del aire.

Estoy perdido para ustedes.
Yo soy ciudadano profundo,
patriota de ferreterías.

No me hagan caso

Entre las cosas que echa el mar
busquemos las más calcinadas,
patas violetas de cangrejos,
cabecitas de pez difunto,
sílabas suaves de madera,
pequeños países de nácar,
busquemos lo que el mar deshizo
con insistencia y sin lograrlo,
lo que rompió y abandonó
y lo dejó para nosotros.

Hay pétalos ensortijados,
algodones de la tormenta,
inútiles joyas del agua,
y dulces huesos de pájaro
en aún actitud de vuelo.

El mar arrojó su abandono,
el aire jugó con las cosas,
el sol abrazó cuanto había,
y el tiempo vive junto al mar
y cuenta y toca lo que existe.
Yo conozco todas las algas,

los ojos blancos de la arena,
las pequeñas mercaderías
de las mareas en otoño
y ando como grueso pelícano
levantando nidos mojados,
esponjas que adoran el viento,
labios de sombra submarina,
pero nada más desgarrador
que el síntoma de los naufragios:
el suave madero perdido
que fue mordido por las olas
y desdeñado por la muerte.

Hay que buscar cosas oscuras
en alguna parte en la tierra,
a la orilla azul del silencio
o donde pasó como un tren
la tempestad arrolladora:
allí quedan signos delgados,
monedas del tiempo y del agua,
detritus, ceniza celeste
y la embriaguez intransferible
de tomar parte en los trabajos
de la soledad y la arena.

Demasiados nombres

Se enreda el lunes con el martes
y la semana con el año:
no se puede cortar el tiempo
con tus tijeras fatigadas,
y todos los nombres del día
los borra el agua de la noche.

Nadie puede llamarse Pedro,
ninguna es Rosa ni María,
todos somos polvo o arena,
todos somos lluvia en la lluvia.
Me han hablado de Venezuelas,
de Paraguayes y de Chiles,
no sé de lo que están hablando:
conozco la piel de la tierra
y sé que no tiene apellido.

Cuando viví con las raíces
me gustaron más que las flores,
y cuando hablé con una piedra
sonaba como una campana.

Es tan larga la primavera
que dura todo el invierno:
el tiempo perdió los zapatos:
un año tiene cuatro siglos.

Cuando duermo todas las noches,
cómo me llamo o no me llamo?
Y cuando me despierto quién soy
si no era yo cuando dormía?

Esto quiere decir que apenas
desembarcamos en la vida,
que venimos recién naciendo,
que no nos llenemos la boca
con tantos nombres inseguros,
con tantas etiquetas tristes,
con tantas letras rimbombantes,
con tanto tuyo y tanto mío,
con tanta firma en los papeles.

Yo pienso confundir las cosas,
unirlas y recién nacerlas,
entreverarlas, desvestirlas,

hasta que la luz del mundo
tenga la unidad del océano,
una integridad generosa,
una fragancia crepitante.

Las estatuas verdes sobre el techo
de Notre Dame

Contra los techos negros,
contra la luz lechosa
estas largas mujeres,
estas estatuas verdes,
qué hacen, qué hicieron antes,
qué harán el año próximo?
Son frutos del invierno?
De las edades rotas
contra la piedra, son
ángeles, santas, reinas
o simplemente
estatuas
perdidas, arrancadas
a parques ya sin árboles,
a plazas que murieron?

Por qué, por qué en la altura
solitaria, mujeres
de verde hierro, de agua,
muertas bajo la lluvia,
indefensas, delgadas,
como peces inmóviles,
nadando sin moverse
como el aire en el agua?
Pienso que sin embargo
trabajan en la altura,
son normas, normas frías,

inmóviles hogueras,
letras de luz gastadas
por otra luz oscura,
por un temblor sin besos,
por las olas del cielo.

Monedas, sí, monedas
golpeadas contra el
semiduro infinito,
entre el techo y el alba,
erectas, solitarias
viviendo de aire y humo
como en un desafío,
atolondradas vírgenes
que se quedaron fuera,
que Dios no dejó entrar
al recinto «cerrado»
y así sin desnudarse
viven bajo la lluvia.

Tráiganlo pronto

Aquel enemigo que tuve
estará vivo todavía?
Era un barrabás vitalicio,
siempre ferviente y fermentando.

Es melancólico no oír
sus tenebrosas amenazas,
sus largas listas de lamentos.

Debo llamarle la atención,
que no olvide sus andanadas,
me gustaría un nuevo libro
con aplastantes argumentos
que al fin terminara conmigo.

Qué voy a hacer sin forajido?
Nadie me va a tomar en cuenta.

Este provechoso sujeto
acechaba mi nacimiento
y apenas quise respirar
él se decidió a exterminarme
siguiéndome con alevosía
por tierra y mar, en prosa y verso.

Cargó sus años y los míos
con perseverancia encomiable
y sobre su alma picaresca
anotó todos mis pecados,
los que tuve y los que no tuve,
los que tendré probablemente,
los que no pienso cometer
y allí el pobre hombre con su lista,
con su pesado cartapacio
sólo preocupado de mí
y de mis acciones funestas.

Ay qué prójimo tan ocioso!

En esta singular tarea
prostituyó a sus descendientes,
contrajo deudas espantosas,
y las cárceles lo acechaban.
Pero el infeliz no cejó:
su obligación era importante
y caminaba con su saco
como un extraño jorobado
vaticinando mi extravío
y mi descalabro inminente.

Produjo yernos entusiastas
de parecida trayectoria
y mientras ellos combatían

él perforaba sus bolsillos.
Hoy qué pasa que no lo escucho?
De pronto no silba el tridente
y las mandíbulas del odio
guardan silencio putrefacto.

Caimán y yerno de caimán,
ferruginosos policías,
no puede ser, aquí estoy vivo,
activo en la luz duradera,
–qué se hicieron aquellos dientes?
Cómo pueden dejarme solo?
Es éste el momento mejor
para saltar a las revistas
con pinches, combos y cuchillos!
Por favor acumulen algo!
A la batalla los tambores!

Aquel enemigo que tuve
ha sacado los pies del plato
con un silencio pernicioso!
Yo estaba habituado a esta sombra,
a su envidia desgarradora,
a sus torpes dedos de ahogado.

A ver si lo ven y lo encuentran
bebiendo bencina y vinagre
y que resucite su furia
sin la cual sufro, palidezco
y no puedo comer perdices.

Por boca cerrada entran las moscas

Por qué con esas llamas rojas
se han dispuesto a arder los rubíes?

Por qué el corazón del topacio
tiene panales amarillos?

Por qué se divierte la rosa
cambiando el color de sus sueños?

Por qué se enfría la esmeralda
como una ahogada submarina?

Y por qué palidece el cielo
sobre las estrellas de junio?

Dónde compra pintura fresca
la cola de la lagartija?

Dónde está el fuego subterráneo
que resucita los claveles?

De dónde saca la sal
esa mirada transparente?

Dónde durmieron los carbones
que se levantaron oscuros?

Y dónde, dónde compra el tigre
rayas de luto, rayas de oro?

Cuándo comenzó a conocer
la madreselva su perfume?

Cuándo se dio cuenta el pino
de su resultado oloroso?

Cuándo aprendieron los limones
la misma doctrina del sol?

Cuándo aprendió a volar el humo?
Cuándo conversan las raíces?

Cómo es el agua en las estrellas?
Por qué el escorpión envenena,
por qué el elefante es benigno?

En qué medita la tortuga?
Dónde se retira la sombra?
Qué canto repite la lluvia?
Dónde van a morir los pájaros?
Y por qué son verdes las hojas?

Es tan poco lo que sabemos
y tanto lo que presumimos
y tan lentamente aprendemos,
que preguntamos, y morimos.
Mejor guardemos orgullo
para la ciudad de los muertos
en el día de los difuntos
y allí cuando el viento recorra
los huecos de tu calavera
te revelará tanto enigma,
susurrándote la verdad
donde estuvieron tus orejas.

Furiosa lucha de marinos con pulpo de colosales dimensiones

I

LA LLEGADA   Los navegantes que volvieron
A   de combatir con el octopus
VALPARAÍSO   luego ya no se acostumbraron:
no querían andar en tren,
le tenían miedo a los rieles,
vivían buscando ventosas
en el aro de los neumáticos,

entre las piernas y los árboles.
Le tenían miedo a la luna!

Vivían tristes encogiéndose
entre tabernas y barriles,
las barbas negras crecían
simultáneas, incontrolables,
y ellos debajo de sus barbas
eran cada vez más hostiles
como si el animal remoto
los hubiera llenado de agua.

Los encontré en Valparaíso
enredados en sus cabellos,
arañosos, indelicados,
y parecían ofendidos
no por el monstruo del océano,
sino por los cigarrillos,
por las vagas conversaciones,
por las bebidas transparentes.
Leían diarios increíbles,
El Mercurio, *El Diario Ilustrado*,
periódicos prostibulantes
con fotografías de diosas
de fascinadores ombligos,
pero ellos leían más lejos,
lo que no volverá a pasar,
lo que ya no sucede más:
las batallas del cefalópodo
que se nutre de balleneros,
y como no se mencionaban
estos asuntos en el diario
escupían furiosamente
y se estremecían de olvido.

II

EL COMBATE En el mar dormía el velero
entre los dientes de la noche,
roncaban los duros muchachos
condecorados por la luna
y el cachalote desangrándose
llevaba clavado el orgullo
por las latitudes del agua.

El hombre despertó con ocho
escalofríos pestilentes,
ocho mangueras del abismo,
ocho vísceras del silencio,
y tambaleó el puro navío,
se derribó su firmamento:
un gran marisco lo envolvió
como en una mano gigante
y entró en el sueño del marino
un regimiento de ventosas.

La lucha fue desenfrenada
y tales proporciones tuvo
que los mástiles se quebraron:
las hachas cortaban pedazos
de dura goma submarina,
las bocas del monstruo chupaban
con largas cadenas de labios,
mientras sus pupilas sin párpados
fosforeciendo vigilaban.

Aquello fue carnicería,
resbalaban los pies en sangre,
y cuando caían cortados
los dedos fríos de la Bestia
otra mano infernal subía
enrollándose en la cintura
de los desdichados chilenos.

Cuando llegó con su mantel
la aurora helada del Antártico
encontró la muerte en el mar:
aquel velero destronado
por el octopus moribundo
y siete balleneros vivos
entre las olas y la ausencia.

La aurora lloró hasta empapar
su mantel de aguas amarillas.

Pasaron entonces los pájaros,
los interminables enjambres,
las colmenas del archipiélago,
y sobre las crueles heridas
de la Bestia y sobre los muertos
iba la luz indiferente
y las alas sobre la espuma.

III

LA PARTIDA Roberto López se embarcó en el *Aurora*.
Arturo Soto en el *Antartic Star*.
Olegario Ramírez en el *Maipo*.
Justino Pérez murió en una riña.
Sinfín Carrasco es soldado en Iquique.
Juan de Dios González es campesino y corta
troncos de alerce en las
                          islas del Sur.

Contraciudad

La triste ciudad de Santiago
extiende piernas polvorientas,
se alarga como un queso gris
y desde el cielo puro y duro
se ve como una araña muerta.

La cortaron de adobe triste
los tétricos conquistadores
y luego las moscas, el humo,
los vehículos aplastantes,
los chilenos pelando papas,
los olores del Matadero,
las tristezas municipales
enterraron a mi ciudad,
la abandonaron lentamente,
la sepultaron en ceniza.

Luego los hijos de Chicago
hicieron pálidos cajones
y cada vez era más triste
la pobre ciudad en invierno:
destartalados automóviles
la martirizaban con furia
y en las esquinas oscilaban
las noticias abrumadoras
de los periódicos sangrientos.

Todos los ricos escaparon
con muebles y fotografías
lejos, a la cordillera,
y allí dormían entre rosas,
pero en la mañana volvían
al centro de la ciudad pobre
con dientes duros de pantera.

Los pobres no pudieron irse,
ni los cabarets desahuciados
en que bailaban con decoro
los jóvenes sobrevivientes,
y aquí el hombre se acostumbró
a pasar entre los harapos
como corre un escalofrío
por las paredes del invierno.

La cárcel la tienen en medio
de la pobre ciudad golpeada
y es una cárcel con caries,
con negras muelas pustulentas
y oprime a la ciudad, le agrega
su salpicadura de sangre,
su capital de los dolores.

Qué puedo hacer, mi pobre patria?
Vienen y van los presidentes
y el corazón se llena de humo:
se petrifican los gobiernos
y la ciudad no se conmueve,
todos susurran sin hablar,
se cruzan relámpagos de odio.

Yo crecí en estas calles tristes
mirando las ferreterías,
los mercados de la verdura,
y cuando la ciudad envejece
se prostituye, se desangra,
y se muere de polvorienta:
cuando el verano sin follaje,
el pobre otoño sin monedas,
el invierno color de muerte
cubren la ciudadanía,
sufro lo mismo que una calle:
y cumpliendo con mis pesares
me pongo a bailar de tristeza.

Porque supongo que algún día
verán árboles, verán aguas
los desdichados caminantes:
sabrán cómo cae la lluvia
no sólo sobre los sombreros
y podrán conocer la luz
y el equilibrio del otoño.

Cantasantiago

No puedo negar tu regazo,
ciudad nutricia, no puedo
negar ni renegar las calles
que alimentaron mis dolores,
y el crepúsculo que caía
sobre los techos de Mapocho
con un color de café triste
y luego la ciudad ardía,
crepitaba como una estrella,
y que se sepa que sus rayos
prepararon mi entendimiento:
la ciudad era un barco verde
y partí a mis navegaciones.

No se termina tu fragancia.
Porque tal vez la enredadera
que se perdió en aquella esquina
creció hacia abajo, hacia otro mundo,
mientras se abren sobre su muerte
los pétalos de un edificio.

Santiago, no niego tu nieve,
tu sol de abril, tus dones negros,
San Francisco es un almanaque
lleno de fechas gongorinas,

la Estación Central es un león,
la Moneda es una paloma.

Amo la virgen ovalada
que ilumina sin entusiasmo
los sueños de la zoología
encarcelada y desdeñosa,
y tus parques llenos de manos,
llenos de bocas y de besos.

De cuando en cuando peina el viento
las curvas de una callejuela
que se apartó sin decir nada
de tu implacable geometría,
pero los montes coronaron
la rectitud de tus rectángulos
con solitaria sal salvaje,
estatuas desnudas de nieve,
desmoronados desvaríos.

Qué olvidé en tus calles que vuelvo
de todas partes a tus calles?
Como si vaya donde vaya
recuerde de pronto una cita
y me apresuro y vuelo y corro
hasta tocar tu pavimento!
Y entonces sé que sé que soy,
entonces sé qué me esperaba
y por fin me encuentro conmigo.

La nieve que cae en tu frente
comenzó a nevar en la mía:
envejezco con mi ciudad
pero los sueños no envejecen:
crían tejas y crían plumas,
suben las casas y los pájaros
y así, Santiago, nos veremos
dormidos por la eternidad
y profundamente despiertos.

Santiago, no olvides que soy
jinete de tu crecimiento:
llegué galopando a caballo
del Sur, de mi salvajería,
y me quedé inmóvil en ti
como un caballero de bronce:
y desde entonces soy ciudad
sin olvidar mis territorios,
sin abandonar los caminos:
tengo el pecho pavimentado,
mi poesía es la Alameda,
mi corazón es un teléfono.

Sí, Santiago, soy una esquina
de tu amor siempre movedizo
como entusiasmos de bandera
y en el fondo te quiero tanto
que sufro si no me golpeas,
que si no me matas me muero
y no sólo cuento contigo
sino que no cuento sintigo.

El perezoso

Continuarán viajando cosas
de metal entre las estrellas,
subirán hombres extenuados,
violentarán la suave luna
y allí fundarán sus farmacias.

En este tiempo de uva llena
el vino comienza su vida
entre el mar y las cordilleras.

En Chile bailan las cerezas,
cantan las muchachas oscuras
y en las guitarras brilla el agua.

El sol toca todas las puertas
y hace milagros con el trigo.
El primer vino es rosado,
es dulce como un niño tierno,
el segundo vino es robusto
como la voz de un marinero
y el tercer vino es un topacio,
una amapola y un incendio.

Mi casa tiene mar y tierra,
mi mujer tiene grandes ojos
color de avellana silvestre,
cuando viene la noche el mar
se viste de blanco y de verde
y luego la luna en la espuma
sueña como novia marina.

No quiero cambiar de planeta.

Bestiario

Si yo pudiera hablar con pájaros,
con ostras y con lagartijas,
con los zorros de Selva Oscura,
con los ejemplares pingüinos,
si me entendieran las ovejas,
los lánguidos perros lanudos,
los caballos de carretela,
si discutiera con los gatos,
si me escucharan las gallinas!

Nunca se me ha ocurrido hablar
con animales elegantes:
no tengo curiosidad
por la opinión de las avispas
ni de las yeguas de carrera:
que se las arreglen volando,
que ganen vestidos corriendo!
Yo quiero hablar con las moscas,
con la perra recién parida
y conversar con las serpientes.

Cuando tuve pies para andar
en noches triples, ya pasadas,
seguí a los perros nocturnos,
esos escuálidos viajeros
que trotan viajando en silencio
con gran prisa a ninguna parte
y los seguí por muchas horas:
ellos desconfiaban de mí,
ay, pobres perros insensatos,
perdieron la oportunidad
de narrar sus melancolías,
de correr con pena y con cola
por las calles de los fantasmas.

Siempre tuve curiosidad
por el erótico conejo:
quiénes lo incitan y susurran
en sus genitales orejas?
Él va sin cesar procreando
y no hace caso a San Francisco,
no oye ninguna tontería:
el conejo monta y remonta
con organismo inagotable.
Yo quiero hablar con el conejo,
amo sus costumbres traviesas.

Las arañas están gastadas
por páginas bobaliconas
de simplistas exasperantes
que las ven con ojos de mosca,
que la describen devoradora,
carnal, infiel, sexual, lasciva.
Para mí esta reputación
retrata a los reputadores:
la araña es una ingeniera,
una divina relojera,
por una mosca más o menos
que la detesten los idiotas,
yo quiero conversar con la araña:
quiero que me teja una estrella.

Me interesan tanto las pulgas
que me dejo picar por horas,
son perfectas, antiguas, sánscritas,
son máquinas inapelables.
No pican para comer,
sólo pican para saltar,
son las saltarinas del orbe,
las delicadas, las acróbatas
del circo más suave y profundo:
que galopen sobre mi piel,
que divulguen sus emociones,
que se entretengan con mi sangre,
pero que alguien me las presente,
quiero conocerlas de cerca,
quiero saber a qué atenerme.

Con los rumiantes no he podido
intimar en forma profunda:
sin embargo soy un rumiante,
no comprendo que no me entiendan.
Tengo que tratar este tema
pastando con vacas y bueyes,
planificando con los toros.

De alguna manera sabré
tantas cosas intestinales
que están escondidas adentro
como pasiones clandestinas.

Qué piensa el cerdo de la aurora?
No cantan pero la sostienen
con sus grandes cuerpos rosados,
con sus pequeñas patas duras.

Los cerdos sostienen la aurora.

Los pájaros se comen la noche.

Y en la mañana está desierto
el mundo: duermen las arañas,
los hombres, los perros, el viento:
los cerdos gruñen, y amanece.

Quiero conversar con los cerdos.

Dulces, sonoras, roncas ranas,
siempre quise ser rana un día,
siempre amé la charca, las hojas
delgadas como filamentos,
el mundo verde de los berros
con las ranas dueñas del cielo.

La serenata de la rana
sube en mi sueño y lo estimula,
sube como una enredadera
a los balcones de mi infancia,
a los pezones de mi prima,
a los jazmines astronómicos
de la negra noche del Sur,
y ahora que ha pasado el tiempo
no me pregunten por el cielo:
pienso que no he aprendido aún
el ronco idioma de las ranas.

Si es así, cómo soy poeta?
Qué sé yo de la geografía
multiplicada de la noche?

En este mundo que corre y calla
quiero más comunicaciones,
otros lenguajes, otros signos,
quiero conocer este mundo.
Todos se han quedado contentos
con presentaciones siniestras
de rápidos capitalistas
y sistemáticas mujeres.
Yo quiero hablar con muchas cosas
y no me iré de este planeta
sin saber qué vine a buscar,
sin averiguar este asunto,
y no me bastan las personas,
yo tengo que ir mucho más lejos
y tengo que ir mucho más cerca.
Por eso, señores, me voy
a conversar con un caballo,
que me excuse la poetisa
y que el profesor me perdone,
tengo la semana ocupada,
tengo que oír a borbotones.
Cómo se llamaba aquel gato?

Testamento de otoño

EL POETA ENTRA   *Entre morir y no morir*
A CONTAR SU   *me decidí por la guitarra*
CONDICIÓN Y   *y en esta intensa profesión*
PREDILECCIONES   *mi corazón no tiene tregua,*
   porque donde menos me esperan
   yo llegaré con mi equipaje

a cosechar el primer vino
en los sombreros del otoño.

Entraré si cierran la puerta
y si me reciben me voy,
no soy de aquellos navegantes
que se extravían en el hielo:
yo me acomodo como el viento,
con las hojas más amarillas,
con los capítulos caídos
de los ojos de las estatuas
y si en alguna parte descanso
es en la propia nuez del fuego,
en lo que palpita y crepita
y luego viaja sin destino.

A lo largo de los renglones
habrás encontrado tu nombre,
lo siento muchísimo poco,
no se trataba de otra cosa
sino de muchísimas más,
porque eres y porque no eres
y esto le pasa a todo el mundo,
nadie se da cuenta de todo
y cuando se suman las cifras
todos éramos falsos ricos:
ahora somos nuevos pobres.

HABLA DE SUS *He sido cortado en pedazos*
ENEMIGOS Y *por rencorosas alimañas*
LES PARTICIPA *que parecían invencibles.*
SU HERENCIA *Yo me acostumbré en el mar*
a comer pepinos de sombra,
extrañas variedades de ámbar
y a entrar en ciudades perdidas
con camiseta y armadura
de tal manera que te matan
y tú te mueres de la risa.

Dejo pues a los que ladraron
mis pestañas de caminante,
mi predilección por la sal,
la dirección de mi sonrisa
para que todo lo lleven
con discreción, si son capaces:
ya que no pudieron matarme
no puedo impedirles después
que no se vistan con mi ropa,
que no aparezcan los domingos
con trocitos de mi cadáver,
certeramente disfrazados.
Si no dejé tranquilo a nadie
no me van a dejar tranquilo,
y se verá y eso no importa:
publicarán mis calcetines.

SE DIRIGE   Dejé mis bienes terrenales
A OTROS   a mi Partido y a mi pueblo,
SECTORES   ahora se trata de otras cosas,
cosas tan oscuras y claras
que son sin embargo una sola.
Así sucede con las uvas,
y sus dos poderosos hijos,
el vino blanco, el vino rojo,
toda la vida es roja y blanca,
toda claridad es oscura,
y no todo es tierra y adobe,
hay en mi herencia sombra y sueños.

CONTESTA   Me preguntaron una vez
A ALGUNOS   por qué escribía tan oscuro,
BIEN   pueden preguntarlo a la noche,
INTENCIONADOS   al mineral, a las raíces.
Yo no supe qué contestar
hasta que luego y después
me agredieron dos desalmados
acusándome de sencillo:

que responda el agua que corre,
y me fui corriendo y cantando.

DESTINA A quién dejo tanta alegría
SUS PENAS que pululó por mis venas
y este ser y no ser fecundo
que me dio la naturaleza?
He sido un largo río lleno
de piedras duras que sonaban
con sonidos claros de noche,
con cantos oscuros de día
y a quién puedo dejarle tanto,
tanto que dejar y tan poco,
una alegría sin objeto,
un caballo solo en el mar,
un telar que tejía viento?

DISPONE DE Mis tristezas se las destino
SUS REGOCIJOS a los que me hicieron sufrir,
pero me olvidé cuáles fueron,
y no sé dónde las dejé,
si las ven en medio del bosque
son como las enredaderas:
suben del suelo con sus hojas
y terminan donde terminas,
en tu cabeza o en el aire,
y para que no suban más
hay que cambiar de primavera.

SE PRONUNCIA Anduve acercándome al odio,
EN CONTRA son serios sus escalofríos,
DEL ODIO sus nociones vertiginosas.
El odio es un pez espada,
se mueve en el agua invisible
y entonces se le ve venir,
y tiene sangre en el cuchillo:
lo desarma la transparencia.

Entonces para qué odiar
a los que tanto nos odiaron?
Allí están debajo del agua
acechadores y acostados
preparando espada y alcuza,
telarañas y telaperros.
No se trata de cristianismos,
no es oración ni sastrería,
sino que el odio perdió:
se le cayeron las escamas
en el mercado del veneno,
y mientras tanto sale el sol
y uno se pone a trabajar
y a comprar su pan y su vino.

PERO LO   *Al odio le dejaré*
CONSIDERA EN   *mis herraduras de caballo,*
SU TESTAMENTO   *mi camiseta de navío,*
mis zapatos de caminante,
mi corazón de carpintero,
todo lo que supe hacer
y lo que me ayudó a sufrir,
lo que tuve de duro y puro,
de indisoluble y emigrante,
para que se aprenda en el mundo
que los que tienen bosque y agua
pueden cortar y navegar,
pueden ir y pueden volver,
pueden padecer y amar,
pueden temer y trabajar,
pueden ser y pueden seguir,
pueden florecer y morir,
pueden ser sencillos y oscuros,
pueden no tener orejas,
pueden aguantar la desdicha,
pueden esperar una flor,
en fin, podemos existir,
aunque no acepten nuestras vidas
unos cuantos hijos de puta.

FINALMENTE, SE
DIRIGE CON
ARROBAMIENTO
A SU AMADA

Matilde Urrutia, aquí te dejo
lo que tuve y lo que no tuve,
lo que soy y lo que no soy.
Mi amor es un niño que llora,
no quiere salir de tus brazos,
yo te lo dejo para siempre:
eres para mí la más bella.

Eres para mí la más bella,
la más tatuada por el viento,
como un arbolito del sur,
como un avellano en agosto,
eres para mí suculenta
como una panadería,
es de tierra tu corazón
pero tus manos son celestes.

Eres roja y eres picante,
eres blanca y eres salada
como escabeche de cebolla,
eres un piano que ríe
con todas las notas del alma
y sobre mí cae la música
de tus pestañas y tu pelo,
me baño en tu sombra de oro
y me deleitan tus orejas
como si las hubiera visto,
en las mareas de coral:
por tus uñas luché en las olas
contra pescados pavorosos.

De sur a sur se abren tus ojos,
y de este a oeste tu sonrisa,
no se te pueden ver los pies,
y el sol se entretiene estrellando
el amanecer en tu pelo.
Tu cuerpo y tu rostro llegaron
como yo, de regiones duras,

de ceremonias lluviosas,
de antiguas tierras y martirios,
sigue cantando el Bío Bío
en nuestra arcilla ensangrentada,
pero tú trajiste del bosque
todos los secretos perfumes
y esa manera de lucir
un perfil de flecha perdida,
una medalla de guerrero.
Tú fuiste mi vencedora
por el amor y por la tierra,
porque tu boca me traía
antepasados manantiales,
citas en bosques de otra edad,
oscuros tambores mojados:
de pronto oí que me llamaban:
era de lejos y de cuando:
me acerqué al antiguo follaje
y besé mi sangre en tu boca,
corazón mío, mi araucana.

Qué puedo dejarte si tienes,
Matilde Urrutia, en tu contacto
ese aroma de hojas quemadas,
esa fragancia de frutillas
y entre tus dos pechos marinos
el crepúsculo de Cauquenes
y el olor de peumo de Chile?

En el alto otoño del mar
lleno de niebla y cavidades,
la tierra se extiende y respira,
se le caen al mes las hojas.
Y tú inclinada en mi trabajo
con tu pasión y tu paciencia
deletreando las patas verdes,
las telarañas, los insectos
de mi mortal caligrafía,

oh leona de pies pequeñitos,
qué haría sin tus manos breves?
dónde andaría caminando
sin corazón y sin objeto?
en qué lejanos autobuses,
enfermo de fuego o de nieve?

Te debo el otoño marino
con la humedad de las raíces,
y la niebla como una uva,
y el sol silvestre y elegante:
te debo este cajón callado
en que se pierden los dolores
y sólo suben a la frente
las corolas de la alegría.
Todo te lo debo a ti,
tórtola desencadenada,
mi codorniza copetona,
mi jilguero de las montañas,
mi campesina de Coihueco.

Alguna vez si ya no somos,
si ya no vamos ni venimos
bajo siete capas de polvo
y los pies secos de la muerte,
estaremos juntos, amor,
extrañamente confundidos.
Nuestras espinas diferentes,
nuestros ojos maleducados,
nuestros pies que no se encontraban
y nuestros besos indelebles,
todo estará por fin reunido,
pero de qué nos servirá
la unidad en un cementerio?
Que no nos separe la vida
y se vaya al diablo la muerte!

RECOMENDACIONES
FINALES

Aquí me despido, señores,
después de tantas despedidas
y como no les dejo nada
quiero que todos toquen algo:
lo más inclemente que tuve,
lo más insano y más ferviente
vuelve a la tierra y vuelve a ser:
los pétalos de la bondad
cayeron como campanadas
en la boca verde del viento.

Pero yo recogí con creces
la bondad de amigos y ajenos.
Me recibía la bondad
por donde pasé caminando
y la encontré por todas partes
como un corazón repartido.

Qué fronteras medicinales
no destronaron mi destierro
compartiendo conmigo el pan,
el peligro, el techo y el vino?
El mundo abrió sus arboledas
y entré como Juan por su casa
entre dos filas de ternura.
Tengo en el Sur tantos amigos
como los que tengo en el Norte,
no se puede poner el sol
entre mis amigos del Este,
y cuántos son en el Oeste?
No puedo numerar el trigo.
No puedo nombrar ni contar
los Oyarzunes fraternales:
en América sacudida
por tanta amenaza nocturna
no hay luna que no me conozca
ni caminos que no me esperen:
en los pobres pueblos de arcilla

o en las ciudades de cemento
hay algún Arce remoto
que no conozco todavía
pero que nacimos hermanos.

En todas partes recogí
la miel que devoran los osos,
la sumergida primavera,
el tesoro del elefante,
y eso se lo debo a los míos,
a mis parientes cristalinos.
El pueblo me identificó
y nunca dejé de ser pueblo.
Tuve en la palma de la mano
el mundo con sus archipiélagos
y como soy irrenunciable
no renuncié a mi corazón,
a las ostras ni a las estrellas.

TERMINA SU   De tantas veces que he nacido
LIBRO EL POETA   tengo una experiencia salobre
HABLANDO DE   como criatura del mar
SUS VARIADAS   con celestiales atavismos
TRANSFORMACIONES   y con destinación terrestre.
Y CONFIRMANDO   Y así me muevo sin saber
SU FE EN   a qué mundo voy a volver
LA POESÍA   o si voy a seguir viviendo.
Mientras se resuelven las cosas
aquí dejé mi testimonio,
mi navegante estravagario
para que leyéndolo mucho
nadie pudiera aprender nada,
sino el movimiento perpetuo
de un hombre claro y confundido,
de un hombre lluvioso y alegre,
enérgico y otoñabundo.

Y ahora detrás de esta hoja
me voy y no desaparezco:
daré un salto en la transparencia
como un nadador del cielo,
y luego volveré a crecer
hasta ser tan pequeño un día
que el viento me llevará
y no sabré cómo me llamo
y no seré cuando despierte:

entonces cantaré en silencio.

Notas

HERNÁN LOYOLA

———

Índice
de primeros versos

Abreviaturas

BCC   Biblioteca Clásica y Contemporánea, la misma con nuevo nombre.

CGN   Neruda, *Canto general*, 1950.

CHV   Neruda, *Confieso que he vivido*, Barcelona, Seix Barral, 1974.

OC   Neruda, *Obras completas*, Editorial Losada, 1957, 1962, 1968, 1973.

OCI   Revista *O Cruzeiro Internacional*, Río de Janeiro.

OEL   Neruda, *Odas elementales*, 1954.

TLO   Neruda, *Tercer libro de las odas*, 1957.

UVT   Neruda, *Las uvas y el viento*, 1954.

Referencias bibliográficas

Concha   Jaime Concha, «*Navegaciones y regresos*: el mundo y las cosas en las odas elementales», *Nerudiana*, Sássari, 1995, pp. 60-79.

Loyola   Hernán Loyola, voz «Neruda, Pablo», en *Diccionario Enciclopédico de las Letras de América Latina*, Caracas, Fundación Biblioteca Ayacucho, 1995, pp. 3360-3373.

Mayorga   Elena Mayorga, *Las casas de Neruda*, tesis de graduación en Arquitectura, Concepción, Chile, Universidad del Bío Bío, 1996.

Sicard   Alain Sicard, *El pensamiento poético de Pablo Neruda*, Madrid, Gredos, 1981.

Teitelboim   Volodia Teitelboim, *Neruda*, 5.ª edición, Santiago, ediciones BAT, 1992.

Estravagario

Composición

En 1957 Neruda comenzó a escribir una corona para su Matilde, los *Cien sonetos de amor*, tarea que interrumpió para emprender juntos un viaje (o peregrinaje) a los míticos lugares de *Residencia* (Rangún, Colombo) y para iniciar su *Estravagario*. Invitado al congreso por la paz que se efectuaría ese año en Ceilán, el poeta aprovechó la ocasión para promover una *nueva* iniciación de Matilde, diversa de aquella que *Los versos del Capitán* habían registrado en la clave poética del Hombre Invisible (texto ejemplar: «El amor del soldado»). La nueva iniciación ya no tenía que ver con el futuro, con el horizonte de la Utopía por edificar. Se refería en cambio al pasado, a las *muchas vidas* que el poeta había vivido y que, en correspondencia con la metamorfosis en curso, su compañera debía conocer y comprender. El viaje iniciático comenzó con un tropezón en Buenos Aires, donde la policía lo arrestó por una noche sin causa declarada. Tras este incidente, Pablo y Matilde atravesaron océanos y continentes para llegar hasta Ceilán. Allí, en Colombo:

> Me fui al tanteo por las callejuelas en busca de la casa en que viví, en el suburbio de Wellawatta. Me costó dar con ella. Los árboles habían crecido. El rostro de la calle había cambiado.
>
> La vieja estancia donde escribí dolorosos versos iba a ser muy pronto demolida. Estaban carcomidas sus puertas, la humedad del trópico había dañado sus muros, pero me había esperado en pie para este último minuto de la despedida.
>
> No encontré a ninguno de mis viejos amigos. Sin embargo, la isla volvió a llamar en mi corazón, con su cortante sonido, con su destello inmenso. El mar seguía cantando el mismo antiguo canto bajo las palmeras, contra los arrecifes. Volví a recorrer las rutas de la selva, volví a ver los elefantes de paso majestuoso cubriendo los senderos, volví a sentir la embriaguez de los perfumes exasperantes, el rumor del crecimiento y la vida de la selva.
>
> (*CHV*,* p. 321.)

* Véase «Abreviaturas», p. 134.

Desde Colombo hasta Rangún fue la etapa siguiente, volando a través de la India con escalas en Madrás y Calcuta, también ellos lugares memorables del exilio en Oriente. Con Pablo y Matilde viajaban Jorge Amado y Zélia, su mujer, todos con destino a Pekín. El regreso de Neruda a Rangún casi coincidió con el 30° aniversario del comienzo de su vida en ese «territorio delirante de color, impenetrable de idiomas, tórrido y fascinante» (*CHV*, p. 322). Naturalmente el poeta intentó, seguramente sin demasiadas ilusiones, encontrar alguna huella del principal personaje de su residencia en Birmania.

Ni sombra de Josie Bliss, mi perseguidora, mi heroína de «Tango del viudo». Nadie me supo dar idea de su vida o de su muerte. Ya ni siquiera existía el barrio donde vivimos juntos

(*CHV*, p. 323.)

No casualmente las memorias de Neruda, dentro del relato global de aquel largo e importante viaje de 1957 (*CHV*, pp. 315-350), dedicaron un amplio espacio (pp. 322-334) a la evocación de las semanas vividas en China. La experiencia, en efecto, había incluido el golpe de gracia a la ya moribunda *idealización utópica* del «socialismo real» que antes había impregnado y definido los poemas de *Las uvas y el viento* (el Errante Testigo-Cronista Americano) y de *Odas elementales* (el Hombre Invisible). Tocar fondo le fue necesario a Neruda para reajustar o reelaborar en su escritura la representación poética de un compromiso político que, sometido a duras pruebas desde comienzos de 1956, no sólo recobrará fuerza sino que con diversa modulación renacerá incluso intensificado («No dejaré jamás de ser comunista», reafirmará con énfasis deliberado pero muy auténtico —y se sabe que hará honor a sus palabras— ante el público que llenó el Teatro Baquedano de Santiago el 15 de junio de 1958). Tal proceso de *elaboración del luto ideológico-político* fue una temática clave y una de las dimensiones más interesantes (y novedosas) de la última poesía de Neruda, resultante de la metamorfosis que comenzó con el *Tercer libro de las odas*.

Gran parte de *Estravagario* fue escrita durante esos meses del largo viaje. Matilde recordó siempre con particular emoción cuánto ella y Pablo se divirtieron y rieron mientras hacían nacer cada uno de los textos sarcásticos y desacralizantes del libro. Y la exuberancia creadora dio incluso para otros textos (odas delgadas y poemas de anchos versos) que más tarde fueron la base de *Navegaciones y regresos*. Fue un viaje fecundo. Desde Pekín a Moscú y desde aquí, por varios meses, la pareja recorrió sucesivamente las repúblicas soviéticas de Afgasia y Armenia para luego volver a Moscú y, en septiembre, hacer una escapada a París. De regreso a Moscú en octubre. Eran los días del 40° aniversario de la Revolución y la capital soviética estaba en fiesta cuando Pablo y Matilde tomaron el tren que los llevaría a Finlandia: «Mientras atravesaba la ciudad, rumbo a la estación, grandes haces de cohetes luminosos, fosfóricos, azules, rojos, violetas, verdes, amarillos, naranjas, subían muy alto como descargas de alegría, como señales de comunicación y amistad que partían hacia todos los pueblos desde la noche victoriosa» (*CHV*, p. 349).

Neruda compró en Finlandia un diente de narval antes de pasar a Suecia. Embarque en Göteborg, viaje de regreso por mar en el *Bolívar* de la Johnson Line, el 5 de diciembre de 1957 lo sabemos en alta mar «cerca de Curaçao», escala en Venezuela, donde el dictador Pérez Jiménez «mandó tantos soldados como para una guerra con la misión de impedirnos descender del barco» (*CHV*, p. 349). Última semana de diciembre: desembarco en Valparaíso (en el entretanto Pérez Jiménez había caído: «ya el majestuoso sátrapa había corrido a Miami como conejo sonámbulo»). Año Nuevo en Isla Negra. En Chile esperaban al poeta tareas políticas de relieve ligadas a la enfermedad y muerte del líder comunista Galo González (marzo de 1958) y a las elecciones presidenciales de septiembre en las que Salvador Allende era por segunda vez el candidato de la izquierda. En mayo, además, Pablo Neruda fue elegido presidente de la Sociedad de Escritores de Chile (SECh). En 1958 hubo también un viaje importante al sur de Chile (reencuentro con la provincia de la infancia, con los bosques, con el océano, con los recuerdos) y preocupación por problemas de salud: recrudecimiento de viejos achaques (en una pierna) y aparición de imprevistos (en la garganta). Todo ello se proyectó con mayor o menor relieve a sus libros en preparación.

Al regresar a Chile a fines de 1957 el poeta puso orden en los originales producidos durante el viaje, separando los correspondientes a *Estravagario* de los que después fundarían *Navegaciones y regresos*. Uno de los criterios de la operación estaba ya establecido por la métrica: en *Estravagario* será caracterizante el dominio del eneasílabo, verso presente en una alta mayoría de los textos del libro.

Ediciones principales

(1) *Estravagario*, Buenos Aires, Losada, 1958 (agosto), 343 pp. Colofón:

Esta primera edición del *Estravagario* se acabó de imprimir el día 18 de agosto de 1958, vigésimo aniversario de la Editorial Losada, S.A., en la Imprenta López, Perú 666, Buenos Aires, República Argentina. Dirigieron la parte gráfica Andrés Ramón Vázquez y Silvio Baldessari, que, además, compuso la tapa y la sobrecubierta. La mayor parte de los dibujos fueron tomados del *Libro de objetos ilustrado*, impreso en San Luis de Potosí, México, 1883; otros pertenecen a la edición de las *Obras completas*, de Julio Verne, ilustradas por P. Ferat. El dibujo que acompaña el poema «No tan alto» es de Guadalupe Posadas [*sic*]. Colaboraron en la selección de estos materiales en Isla Negra, Chile, la esposa del poeta, Matilde Urrutia, y H[omero] Arce Cabrera.

(2) *Estravagario*, en Pablo Neruda, *Obras completas*, Buenos Aires, Losada, 1962 (agosto), pp. 1445-1547. Ediciones sucesivas de OC: 1968, 1973.

(3) *Estravagario*, Buenos Aires, Losada, 1971, BCC, núm. 355. Reediciones: 1977, 1997.

(4) *Estravagario*, Buenos Aires, Losada, 1972.

(5) *Estravagario*, Barcelona, Lumen, 1976, colección El Bardo, núm. 112.

(6) *Estravagario*, Barcelona, Seix Barral, 1977, BBP, núm. 408.

Anticipaciones

EL GRAN MANTEL. *Vea*, núm. 996, Santiago, 29.5.1958.
TRES POEMAS: SUCEDIÓ EN INVIERNO. POR FIN SE FUERON. ITINERARIOS. *El Siglo*, Santiago, 10.8.1958.

Apartado

SUCEDIÓ EN INVIERNO, en *Las 4 estaciones*, calendario, Santiago, Editorial Lord Cochrane, 1964.

Los textos: algunas observaciones

La primera edición de *Estravagario* introdujo en la bibliografía activa de Neruda una pieza imprevista y singular. En lo formal porque era un libro bizarramente ilustrado (véase «Colofón») con dibujos arcaicos –cómicos algunos– cuyo efecto oscilaba entre *lo pop* (innovación) y *lo rétro* (nostalgia). Un efecto similar buscó el poeta en el título, construido sobre el viejo modelo de *Crepusculario* pero en un contexto nuevo que remite a algo «extravagante» y a la vez «estrafalario» (la *s* en lugar de la *x* fue una señal *rétro* en cuanto quiso reactualizar, y quizás no tan irónicamente, ese rasgo de la ortografía juvenil de Neruda que dejó huella en el título del poema «Desespediente» de *Residencia*, derivado de la grafía *espediente* = expediente).

En su contenido de conjunto el libro condensó un brusco viraje o reacción de Neruda respecto a su anterior poesía militante, vinculada a valores utópicos de acción y comunicación (transformadoras del mundo). Por eso la compilación se abrió con dos poemas –«Pido silencio» y «A callarse»– que postulaban treguas de inmovilidad tanto en la dimensión privada del Sujeto como en la dimensión pública de la historia en curso, advirtiendo sin embargo al lector sospechoso: «No se confunda lo que quiero / con la inacción definitiva».

Aunque de apariencia temática muy variada, el núcleo de *Estravagario* fue la redefinición del Sujeto nerudiano en términos generalmente opuestos a los del ciclo precedente (1946-1956). Fue así que al ideal de *unidad* del Yo en *Canto general* («Yo soy») *Estravagario* opuso la *fragmentación horizontal* de un «Muchos somos» (título de un poema) y la *fragmentación vertical* de un «ahora me doy cuenta que he sido / no sólo un hombre sino varios» («Regreso a una ciudad»). En igual sentido, a la célebre solemne exhortación «Sube a nacer conmigo, hermano» (*CGN*, II, XII) –donde «nacer conmigo» significaba «con mi primer nacer, con mi nacer de veras»– *Estravagario* opuso una irónica petición de apertura: «Pido permiso para nacer [de nuevo]», y la declaración «De tantas veces que he nacido / tengo una experiencia salobre». Y en contraste con las autorrepresentaciones rotundas, unívocas y hasta arrogantes del tipo «voy por el mundo / cada vez más alegre» o bien «yo soy, / yo soy el día, / soy / la luz», caracterizantes del ciclo anterior, el Sujeto de *Estravagario* ostentó en cambio complacientes incertezas al autodefinirse «hombre claro y confundido... lluvioso y alegre... enérgico y otoñabundo» («Testamento de otoño»).

Estravagario quiso ser el exorcismo del *otoño* (íntimo y objetivo a la vez) de un poeta que no sólo se siente próximo a la «tercera edad» sino, y sobre todo, constreñido a reexaminar su pasado personal. De ahí que el reajuste del estatuto del Yo incluyó en *Estravagario* la desacralización de la autobiografía, paso previo a la reproposición sistemática del pasado del Sujeto nerudiano que comenzará en 1960 con el poema «Escrito en el año 2000», de *Canción de gesta*, y que culminará con los libros *Memorial de Isla Negra* (1964) y *La barcarola* (1967). Esta desacralización supuso una toma de distancia (crítica) respecto a la imagen de un Yo cumplido («Yo soy») que desde lo alto de la cima alcanzada había visto su propio pasado como la progresión (a través de etapas y momentos de prueba o de riesgo) de una hazaña mítica. En *Estravagario* el nuevo Sujeto nerudiano, ya abandonados los títulos de Capitán y de Hombre Invisible, se despojó también de esas arrogancias y certezas retrospectivas. Los nuevos textos evocadores –«Regreso a una ciudad», «La desdichada», «Itinerarios», «Dónde estará la Guillermina?»– interrogaban las experiencias pretéritas para recuperar el autónomo y específico significado de cada una, y no más para medir su grado de contribución al progresivo decurso mítico del Sujeto.

«El tema del desengaño del mundo (actual) impregna todo el libro y condiciona no sólo la autorrepresentación del Sujeto sino la entera impostación lingüística y retórica de una obra que parece que parece querer compensar de golpe, con la brusca exacerbación del absurdo, de la paradoja o de la *boutade*, los excesos apolíneos –claridad, edificación, "realismo"– de los libros precedentes» (Loyola* 1995, p. 1687). Así, por ejemplo, una de las formas que asume la constante distorsión irónica del lenguaje es la modulación anómala de los verbos: «Todos me piden que dé saltos, / que tonifique y que futbole» («El miedo»); «porque si yo me necesito / no debo desaparecerme» («Muchos somos»); «Yo me pregunto si las ranas / se vigilan y se estornudan» («Pobres muchachos»); o de los pronombres: «y no sólo cuento contigo / sino que no cuento sintigo» («Cantasantiago»). Así también la yuxtaposición de elementos heterogéneos, con efecto cómico o extrañante: «Pasó un perro, pasó una monja, / pasó una semana y un año» («La desdichada»); «Yo todos los días pongo / no sólo los pies en el plato, / sino los codos, los riñones, / la lira, el alma, la escopeta» («Sobre mi mala educación»).

Y CUÁNTO VIVE. (Páginas 20-21.) YA SE FUE LA CIUDAD. (Página 22.) LARINGE. (Páginas 67-69.) «Regresé a mi casa más viejo / después de recorrer el mundo»: parece ser que el reencuentro con los lugares míticos de juventud (Rangún, Colombo) se sumó a temores de una grave enfermedad (en la garganta), pero sobre todo al íntimo derrumbe de la ilusión utópica, para introducir en la escritura de Neruda una aguda y desencantada (o desesperanzada) con-

* Véase «Referencias bibliográficas», p. 135.

ciencia de la condición mortal del hombre. (Para rastrear una similar melancolía hay que remontarse a los textos tardíos de *Crepusculario*. A pesar de los pre-juicios dominantes en cierta crítica, inútil buscar algo parecido en *Residencia*, ni siquiera en «Walking Around» o en «Sólo la muerte», poemas tradicionalmente mal comprendidos.) Se trataba en verdad del registro poético de una hondísima crisis de Neruda, bien comprensible si se tiene en cuenta que no muchos años antes –y muy especialmente en «Alturas de Macchu Picchu» (1945-1946)– el poeta creyó de veras haber superado el problema de LA/SU muerte personal o individual al inscribirla en el flujo de la Historia entendida como proyecto de edificación de la Ciudad Futura. Los libros sucesivos registrarán a su vez la historia de la superación (relativa, irónica, más o menos melancólica) de esta crisis del regreso. — «Valentín, ya sabes que el médico me ordena silencio por dos meses... Juvencio Valle hubiera estado feliz. *Yo me alegré porque se pensaba algo peor.* Tengo un librito en el que escribo mis pensamientos como ser: a qué hora comemos?» (carta fechada en Isla Negra el 17 de enero de 1958, en Teitelboim, p. 386).

REGRESO A UNA CIUDAD. (Páginas 24-25.) El referente extratextual es la ciudad de Rangún. La historia de «la loca que me quería» (la birmana Josie Bliss) será revelada por primera vez sólo algunos años más tarde, en la cuarta de las diez crónicas autobiográficas que Neruda escribió para la revista O *Cruzeiro Internacional* de Río de Janeiro: *Las vidas del poeta*, capítulo 4, «La calle oriental», *OCI*, edición del 1.3.1962, después en *CHV*, pp. 122-125.

EL GRAN MANTEL. (Páginas 29-30.) De hecho es el único poema del libro que se ocupa de los «problemas sociales» que en *CGN*, *UVT* y *OEL* eran centrales. Indicio o señal que el Sujeto confirma declarando explícitamente la deliberada simplificación de la óptica: «Por ahora no pido más / que la justicia del almuerzo». De batallas por la expansión y triunfo del socialismo en el mundo, por ahora ni hablar.

CON ELLA. (Página 31.) AMOR. (Páginas 72-73.) Notar el cambio en el estatuto poético de *ella* = Matilde. Paralelamente a la desaparición de la figura del Capitán (que encarnaba la unidad del militante-amante), la imagen de la *amada* ya dejó de aparecer asociada a instancias ideológico-políticas contingentes o a la edificación universal de la Utopía. En estos textos comienza en cambio una reelaboración de la imagen de Matilde en conexión con valores básicos y primarios de la convivencia colectiva, aquí aludidos en los versos «[...] espérame / con una cesta, con tu pala, / [...] / necesitamos nuestras manos / para lavar y hacer el fuego».

NO TAN ALTO. (Páginas 31-33.) Sátira de estirpe quevedesca que, en definitiva, envuelve y relativiza una importante autocrítica del Sujeto nerudiano en conexión con sus anteriores tentativas de autorretrato (en particular las modulaciones del Yo Soy de *CGN*: el Capitán, el Hombre Invisible, el Testigo-Cronista Americano, pero al mismo tiempo, y más en general, todas las figuras asumidas por el Yo profético de la modernidad nerudiana).

CIERTO CANSANCIO. (Páginas 36-37.) «Si el aparente atascamiento del tiempo histórico suscita, a partir de *Estravagario*, "cierto cansancio" [...], ese cansancio se expresa como un imperativo que implica justo todo lo contrario que resignación: *Cansémonos de lo que mata / y de lo que no quiere morir*. No nos equivoquemos: "de lo que mata por su rechazo de morir precisamente". Ante esta muerte que amenaza constantemente al movimiento histórico, responde Neruda con una exigencia de ruptura» (Sicard, p. 326).

V. (Páginas 42-43.) La inicial corresponde obviamente al gran poeta peruano Vallejo (César Vallejo, 1893-1938).

CABALLOS. (Páginas 45-46.) La irrupción de «la luz de los caballos» restituye la Vida a una gris y apagada realidad de invierno. Poema afín a la «Oda a un camión colorado cargado con toneles» (*TLO*).

MUCHOS SOMOS. (Páginas 49-50.) Negación implícita y crítica de aquella identidad unívoca tan perseguida y tan difícilmente conquistada (Yo Soy) por el Sujeto nerudiano en su su fase *moderna*.

PASTORAL. (Páginas 57-58.) Verdadero manifiesto (irónico) del Neruda posmoderno, en explícita contraposición a ese muy serio y convencido manifiesto moderno que fue «El hombre invisible» (*OEL*), donde el Sujeto declaraba: «no tengo tiempo / para mis asuntos, / de noche y de día / debo *anotar* lo que pasa, / y no olvidar a nadie». Nuestro nuevo y posmoderno Sujeto nerudiano, en cambio, cumple su deber de tomar notas con intención opuesta: «saco mi pluma del bolsillo, *anoto* / un pájaro que sube / o una araña en su fábrica de seda, / no se me ocurre nada más». La segunda estrofa confirma la ruptura ironizando de modo deliberado, sea el ideal de *transparencia* de las primeras odas elementales (puesto que ahora, en cambio, «No se me ocurre más que el *transparente* / estío»), sea la atención del ex Sujeto a los modernos –y falsos– ritos de la Historia («y así pasa la historia con su carro / recogiendo mortajas y medallas, / y pasa, y yo no siento sino ríos»), e ironizando, en fin, la autorrepresentación tendencialmente «profética» –al servicio de la *colectividad*– que Neruda amó proponer de sí en sus libros hasta 1956, para rebajarla de jerarquía y dar nueva prioridad a sus propios *individuales* enigmas. Mejor *pastor* (o «pastoral poeta») que *profeta*.

POR FIN SE FUERON. (Páginas 76-78.) FÁBULA DE LA SIRENA Y LOS BORRACHOS. (Páginas 27-28.) POBRES MUCHACHOS. (Páginas 64-65.) Durante el período de ruptura con Delia y de consolidación de la convivencia con Matilde, algunos amigos y amigas de Neruda se entrometieron en el conflicto y criticaron de hecho y/o con palabras la decisión del poeta (por simpatía o compasión hacia Delia). Neruda rompió para siempre con ellos, no sin dolor y desgarramiento en el caso de Tomás Lago. Estos textos proyectaron a su escritura poética, con varia modulación y con diversos registros de lenguaje, el fastidio de Neruda frente a tales intromisiones (incluyendo la muy presumible de dirigentes del partido) en su vida privada. Y la correspondiente afirmación de la figura de la *amada* objeto de ataques.

DÓNDE ESTARÁ LA GUILLERMINA? (Páginas 86-88.) Texto inaugural de la nueva (posmoderna) recuperación autobiográfica del Sujeto. Cada episodio o momento de la memoria interesa ahora por sí mismo, viene enfocado ahora según su propio valor evocativo y no más según su aporte al «crecimiento» y desarrollo del Héroe en su ruta hacia algún improbable Yo Soy.

CARTA PARA QUE ME MANDEN MADERA. (Páginas 97-99.) Tras el regreso de *Neruda-el-Viajero-Trotamundos* el centro de la escena o vida del poeta tornó a ser ocupado, con multiplicada energía, por *Neruda-el-Arquitecto-Constructor-Diletante*. El 6 de abril de 1956 Matilde había perfeccionado la compra de terrenos colindantes que ampliaron el espacio de La Chascona. En 1957 Neruda encargó al arquitecto Rodríguez Arias proyectar sobre esos nuevos terrenos un bar abierto y un estudio-biblioteca (cfr. Mayorga, p. 173). Le encargó al mismo tiempo proyectar la nueva biblioteca de la casa de Isla Negra. Ambos proyectos, sobre todo el de Isla Negra, preveían abundante uso de madera. Pero Rodríguez Arias decidió por entonces regresar a su España natal. De la ampliación de La Chascona se hará cargo – con nuevo proyecto – el arquitecto Carlos Martner. De la nueva biblioteca de Isla Negra se ocupará en cambio el arquitecto Sergio Soza, a quien Neruda, no por casualidad, regaló el original manuscrito de esta «Carta para que me manden madera». Sobre las fatigas del arquitecto Soza, cfr. Mayorga, pp. 101-104.

TRÁIGANLO PRONTO. (Páginas 105-107.) La figura extratextual aquí aludida es Pablo de Rokha (Carlos Díaz Loyola, Chile, 1894-1968), «legendario antagonista» de Neruda: «Mi contrincante era un poeta chileno de más edad que yo, acérrimo y absolutista, más gesticulatorio que intrínseco. Esta clase de escritores dotados de ferocidad egocéntrica proliferan en las Américas: adoptan diversas formas de aspereza y de autosuficiencia, pero su ascendencia d'annunziana es trágicamente verdadera» («Enemigos literarios» en *CHV*, p. 399). Neruda, muy sabiamente, no solía responder a los ataques de Pablo de Rokha y familiares, pero cada vez que lo hizo fue demoledor. Al respecto menciono una pieza legendaria, el poema «Aquí estoy» de 1935, raro, clandestino y feroz desahogo de Neruda contra sus principales y más irreductibles enemigos, texto que hasta ahora es inútil buscar en versión completa dentro de la nerudiana autorizada: el lector lo encontrará por primera vez en el volumen IV (*Nerudiana dispersa*) de las *Obras Completas* de Pablo Neruda editadas por Galaxia Gutenberg. — Este «Tráiganlo pronto» de *Estravagario* se inscribe en el nuevo propósito (posmoderno) de recuperación autobiográfica. — *OC* 1973, v. 4, traía «fermentado» (errata, por «fermentando»).

POR BOCA CERRADA ENTRAN LAS MOSCAS. (Páginas 107-109.) Este poema anticipa en 15 años –incluyendo el uso del eneasílabo– uno de los volúmenes póstumos de Neruda: *Libro de las preguntas*.

BESTIARIO. (Páginas 118-122.) La «elaboración del tema animal va a oscilar constantemente entre admirar la gracia extrahumana de las especies animales, a la cual Neruda (como la Mistral) fue profundamente sensible, y ligar el mundo animal a un horizonte de dolor inexpresado, sordo, que el hombre nunca ha sabido auscultar de veras. [...] A decir verdad se plantea ya, y se vislumbran los frutos iniciales de, un cambio fundamental en la visión de las cosas por parte del poeta, a saber, su creciente desconfianza en la superioridad ontológica del hombre» (Concha 1995, pp. 71-72).

ÍNDICE DE PRIMEROS VERSOS

ÍNDICE GENERAL

Obra de Pablo Neruda en DeBolsillo

EDICIÓN DE HERNÁN LOYOLA

ESTE LIBRO HA SIDO IMPRESO
EN LOS TALLERES DE
LITOGRAFIA ROSÉS, S. A.
PROGRÉS, 54-60. GAVÀ (BARCELONA)